The Great Gatsby

了不起的盖茨比

〔美〕斯科特·菲茨杰拉德 著

村上春树 序　邓若虚 译

南海出版公司

新经典文化有限公司
www.readinglife.com
出 品

再次献给泽尔达

那就戴上金帽子，如果可以打动她；

倘若你能跳得高，也请为她跳起来；

直到她大声喊："亲爱的爱人，戴着金帽子、

跳得高高的爱人，我一定要拥有你！"

　　　　——托马斯·帕克·丹维里埃 [1]

①菲茨杰拉德在《人间天堂》中塑造的人物。

目 录

身为翻译者，身为小说家

村上春树

记得是在三十五岁左右吧，我夸下海口说，到了六十岁要开始翻译《了不起的盖茨比》。于是我下定决心，以此为目标，进行着各种练习。用一个比喻来形容，我就像将这本书小心地搁在神龛上，时不时看上几眼，以此度过我的人生。

就在东忙西忙的过程中，不知怎的，六十岁生日让人等得越来越不耐烦。我的视线日益频繁地转向神龛上那本书。终于有一天，我再也忍不住了，比原计划提前几年着手翻译这部小说。最初只是想"呃，现在开始抽空一点一点作准备就好"，可一旦开始就无法停止，结果用了比想象中还要短的时间一口气译完。或许我就像个小孩，虽然大人一再叮嘱生日之前不能打开礼物盒，可我还是等不及先把它拆开了。这种喜欢提前下手的急性子，不管到多少岁好像都不会改变。

当初，我决定等到六十岁再翻译《了不起的盖茨比》，有几个理由。一是，我预计（也期待）到了那个年纪，翻译的水平会有所长进。对我来说，《了不起的盖茨比》是一部非常重要的作品，既然要翻译，就要做到缜密细致，不留任何遗憾。二是，《了不起的盖茨比》已经有几个译本，我完全没有必要慌慌张张去翻译。其他更急待翻译的同时代小说还有很多。三是，我认为"翻译这么重要的一部书，最好还是到了一定年纪，不慌不忙不急不躁，就像在廊檐上摆弄盆栽一般，优哉游哉地享受这份工作"。至少对于三十多岁的我来说，六十岁是个出奇遥远的世界。

然而现实的情况是，当六十岁近在眼前，我切切实实地感受到，这不是谈论"在廊檐上摆弄盆栽"这么悠闲从容的事的时候。仔细想想，也是理所当然，迎来了六十岁生日，并不意味着突然发生了重大变化。不管好坏，这个时间点只是对我这个人的日常非戏剧性的一种延伸。因此，我觉得，也没有必要等到六十岁再开始翻译《了不起的盖茨比》。或许这是一种轻微的僭越，不过也是一种感觉，觉得"我已经到了可以着手翻译它的时候"。积累了一定的经验之后，作为译者我有了某种程度的——当然只是某种程度的——自信。

或许这也跟年龄有关，因为同时代的文学作品中"我无论如何都要翻译一下"的越来越少。我们这一代人有责任必须翻译的作品，或许可以说已经全部译过了。而年轻作家的作品就交由热情充沛的新一代译者们去翻译好了，我还是退回到略微远离时代现实的地方去。"有一天要用自己的笔按照自己的节奏优哉游哉地译出想要翻译的作品"，我心里生出这般奢侈的念头。当然这不是说，我不再翻译同时代的其他作品了。而是我今后打算把"真心想翻译的"东西一部一部译出来（当然也希望能够出版）。但是我想早年的经典在我今后的翻译书目中会占较大的比重，这些都是我常年拿在手中，至今还在阅读的。当然它们多数已经有了公认的好译本，但我还是希望能亲自翻译，只要我的重译有略微的价值就满足了。

数年前，我翻译的 J. D. 塞林格的《麦田里的守望者》就是这种重译作品，这本书自然也会进入同一个系列。我没有要对前人的翻译进行批判的意思。不论哪部译作都是优秀的，通过它们，不同语种的读者才能享受到阅读小说的乐趣。如果有读者问我"如今特意推出新译本，意义在哪里"，我只能回答"这确实值得考虑"，然后陷入沉思。但是翻译《麦田里的守望者》时，我曾写过，翻译这项工作多多少少有个"鉴赏期限"。很多原创作品没有鉴赏期限，但翻译作品却不同。翻译说到底就是一种语言技术问题，而技术会从细节开始日益陈旧。即便存在不朽的名著，不朽的名译在理论上也是不存在的。不论哪部译作（当然我的翻译也不例外），随着时代的推移都会陈旧，就如同日益陈旧的辞典，虽然只是程度上的差异。我甚至想，从这种意义上说，通过翻译对原作的"加印"都有可能给作品本身带来损害。所以每个时代都有必要更新译本。至少对读者来说，有多种选择比没有要好得多。

另外，读过已经出版的《了不起的盖茨比》几种译本后，暂且不论翻译质量，它们和我心目中的《了不起的盖茨比》好像有些许（或相当）的不同。当然，我只是在描述自己对这部小说抱有的个人印象，而非客观的——或学术的——批判或评价，我没有资格说这种伟大的话。只是那些翻译与我的感受多少存在着差异，"我心目中的《了不起的盖茨比》为什么会如此不同呢"，这不能不让人疑惑。身为一个读者，单纯从个人观点出发，对其他作品产生的这种感受我是不会说出来的，而正因为是《了不起的盖茨比》，我才胆敢直言不讳。这一点还希望各位理解。

反过来说，各位也可以这么理解，我翻译的《了不起的盖茨比》是在极端个人的层面上完成的。我将自己对这部小说抱有的印象明确化，尽可能用具体而明了的文脉将其轮廓、色调和结构为各位读者展现出来，这是我此次翻译的目的。译文虽符合原作，但不知为何抓不住本质、摸不着头脑，这类情况我一直极力避免。

我认为翻译基本上就是热情讲述故事的过程。当然并不是只要意思吻合就可以。如果不能将文章的意象明确传递出来，那么作者的用意也无从传达。尤其是对这部作品，我尽可能做一个热情亲切的翻译者，尽量将一个个文字集合体的内涵用日语说清楚。但是任何事物都有它的极限，我只能说我尽了全力。

上面提到过，《了不起的盖茨比》对我来说是一部非常重要的作品。既然如此，身为翻译者，我就有必要具体说说它究竟多么重要。

如果让我"举出迄今为止遇到的最重要的三本书"，我会不假思索地回答，那就是菲茨杰拉德的《了不起的盖茨比》、陀思妥耶夫斯基的《卡拉马佐夫兄弟》和雷蒙德·钱德勒的《漫长的告别》。它们都是我人生（身为读书人、身为作家的人生）中不可或缺的小说。

倘若只让我从中挑选一本，那我会毫不犹豫地选择《了不起的盖茨比》。如果没有与这部作品相遇，我甚至会觉得自己写出来的小说会跟现在的作品完全不同（或者也许什么都不写，因为这只是纯粹的假设，自然不会有正确答案）。

总之，《了不起的盖茨比》就是让我如此沉迷。我从中学到很多东西，也受到很多激励。这部雅致的长篇小说，成为我作家生涯的一个目标，写作世界里的一个坐标轴。我仔仔细细反复阅读它，每个角落每个细节都不放过，许多部分几乎都能背诵下来。

听我这么说，一定会有很多人露出困惑的表情，"我读过《了不起的盖茨比》，可它真的像村上先生说的这样伟大吗？"那么，我不由要追问一下："如果《了不起的盖茨比》算不上伟大的作品，还有其他什么作品能称得上伟大呢？"当然，我其实也能理解这类读者的心情。因为《了不起的盖茨比》将各种情景极其细致鲜活地描写出来，将所有情感用极其精致多样的语言表达得淋漓尽致，不逐行逐句细心阅读英文原作，是无法全面理解其精妙之处的。这一点就是根源所在。《了不起的盖茨比》作者斯科特·菲茨杰拉德二十八岁时文笔达到了巅峰。然而翻译成日语之后，无论是否出于译者本意，都会有很多美妙之处受到损伤。就如同上好的葡萄酒经过长途运输一样，独特的芳香和微妙的口感难免会有损失。

所以，很容易形成这样的看法：这种小说阅读原文是最佳选择。然而阅读原文又并非普通读者能够实现的。空气的微妙流动，使得相应的色调、情形和节奏每时每刻都在变化，这种自由自在、畅通无阻的美丽文体，没有相当的阅读水准的确很难体会到。从某种程度上说，并不是懂英语就能领略到这种等级的叙事美感。

因此，说得夸张一点，《了不起的盖茨比》至今还没有被日本大部分读者<u>真正</u>正确地认识。至少，目前读者们（其中很多人从事与文学相关的职业）对它的整体评价令我感到遗憾，我不得不做出这种悲观的结论。这其中的原因恐怕很大程度上就是翻译存在着局限。

当然，也不能说我的翻译就突破了这种障碍。这部作品翻译起来究竟有多么难，我实在太了解了，所以我说不出这种狂妄的话来。我并不是突然转变态度，只是说我的翻译也相当不完善，或者说，想找缺陷的话总还是能找出几处的。我承认这一点。如此完美的英语作品，怎么可能毫无缺陷地转换成其他语言呢？但是即便如此，作为一个翻译者，作为一个小说家，我会尽我的努力和诚意寻找一条翻译之路，将《了不起的盖茨比》这部作品<u>最重要</u>、最本质的东西，尽可能有效而准确地表达出来。

希望各位理解的是，以前我做翻译时，一直提醒自己要放弃小说家的身份。无论翻译哪个文本，我都尽量消除自己的影子，就好像极力让自己成为舞台上的黑衣人。对我来说，忠实的翻译是最重要的。当然，之前我做的各种翻译，或多或少都与我的小说家背景有着关联。但那始终是一种自然而然的结果，不是刻意而为。唯独对《了不起的盖茨比》，我要尽可能地发挥身为小说家的有利之处，这一点我从一开始就做出了决定。这并不是过度翻译，也不是改写文字。我只是在各个关键点发挥自己身为小说家的想象力。一边想象如果我是作者会怎么写，一边将菲茨杰拉德文中容易错过的要点一点一点挖掘出来。对那些关键的要点和美丽的枝节，尽可能精细地加以解剖。必要时，也会用较长的词句进行解释。因为在我看来，不这样的话就无法发挥出菲茨杰拉德文字的内在力量。他的文字世界里有个部分，让人想不顾一切投身其中抓住其核心。只有触及那个核心，他的文字世界才能够鲜花盛开。

说得极端一点，我是把《了不起的盖茨比》当成最终目标，走上翻译这条路的。所以这部作品的翻译对身为译者的我来说，既是一个结论，也是一个成就，同时又标志着我迈出飞跃性的一步。当然这终究只是我个人的想法，我个人的课题，与拿到这本书的各位读者没有任何直接关系。

对这部翻译作品，我有几点很在意，也可以说是翻译的基本方针吧。

首先，我将它定义为"现代故事"。这部作品完成于一九二四年，故事发生的时间设定在一九二二年。我翻译它的时候，离小说问世已经有八十多年，也就是说它是很多年前的故事了。但我并不想把它当成一般的经典作品。对我而言，《了不起的盖茨比》必须是一个发生在现代的故事。这是我此次翻译时最优先考虑的事项。所以旧式的措辞、有时代特色的修饰，我只保留下真正必要的部分，其他的尽可能删除，或者将色调调弱一级。尼克、盖茨比、黛西、乔丹和汤姆等人，就好像生活在我们身边，和我们呼吸着相同的空气，是我们同时代的人，是亲人，是朋友，是熟人，是邻居。对话在小说中究竟有多么重要，我是从这部作品里体会并学习到的。

各位在阅读时就会明白，这部小说的每一个人物都具有鲜明的形象，他们的对话也相应地各有特色，但又绝不会一成不变。每个人的行为规范贯穿始终，却又根据状况和环境、心理和视角——作为与你我一样有血有肉的人——发生着微妙的变化，与此同时，说话的方式也不断地改变。因此，他们的对话必须是活生生的，他们的每一次呼吸都必须有具体的意义。

另外，我很在意行文的节奏。斯科特·菲茨杰拉德的文章具有独特的美感和韵律，会让人联想起优秀的音乐作品。他用这种节奏驾驭着文字，就像童话故事里魔法豆的枝蔓向天空伸展一般展开他的叙述。流利的语言接连诞生，不断成长，为寻求空间流畅地在空中移动，真是一幅美丽的景色。在这种时候，逻辑和统一性偶尔也会被逼到某个角落。语言被吸入空中，多样而暧昧，存在着各种暗示、各种可能。这种表达方式为什么会突然出现在这里？作为认真的翻译者，我有时候不得不严肃地思考一下。但是读者在阅读中却几乎不会留意到这些地方。因为那无与伦比的优美文字流畅地讲述着故事。他究竟要讲述什么？读者在阅读中毫无不适、毫不迟疑地理解了一切。真正是个天才的文字家。要将这样的作品转换成日语，是一项极难的工作。

因此，我十分重视行文的节奏。我认为这是菲茨杰拉德作品的本质所在，所以我首先要把这种节奏移植到日语这片土壤中，在它周围小心翼翼地添加旋律、音响和抒情诗。与音乐相比，菲茨杰拉德的作品更加自然，更易于理解。有时他的作品需要用耳朵来聆听，需要出声地朗读。我也不清楚自己能否成功地驾驭。但总之节奏是我翻译的一个要点，是基本方针，这一点我希望各位读者能够领悟。首先有流动的节奏，然后紧密相连的词语自然地喷涌而出。这就是我所理解的菲茨杰拉德作品的美妙之处。

对于我自身和这部小说的关联，对于这项翻译工作，我好像说得略微有点多了，虽然仍觉得还是有些没说到。这些方面一说起来就没完没了，暂且先到此为止吧，下面我来讲讲斯科特·菲茨杰拉德创作《了不起的盖茨比》的背景，略微讲一些史实，想必也是我身为译者的一个职责。我只能简单、粗线条（而且就像亲眼所见一般）地略述一二，各位如果对详细情形感兴趣，最好还是去看看传记之类的。

一九二三年，菲茨杰拉德有了写作《了不起的盖茨比》的构想。第二年春，他和夫人泽尔达渡海去法国生活后，才真正开始写作该书。同年，小说完成。一九二五年四月他二十八岁时，小说在美国出版。

菲茨杰拉德一九二〇年刚出道，便给文坛带来了冲击，他一连出版了《人间天堂》（处女作）和《美丽与毁灭》两部长篇小说、《飞女郎与哲学家》和《爵士时代的故事》两本短篇小说集，成为时代的宠儿。一战以后，美国经济迎来了前所未有的繁荣，新文化日益兴盛，时代寻求着新的英雄。英俊、无畏、华丽的流行作家菲茨杰拉德作为年轻人心声的代言人，正是社会需要的文学象征。而且对于站在时代前端、从旧有观念中解放出来、享受着随心所欲的物质生活的年轻女性来说，他那美丽的新婚妻子泽尔达简直就是个公主。

菲茨杰拉德过着奢侈的生活，同时拼命为大众杂志写赚钱的短篇小说。其中多数都是结局完美、没有一点邪恶的娱乐作品，也夹杂着几篇美得令人窒息的杰作。这些短篇佳作至今仍有许多读者。这位二十出头、不谙世事而且常常缺乏稳定性和自制力的青年，为什么能如此成功？这至今仍是一个谜。当然与莫扎特、舒伯特的情形一样，可以用"天才"这个词来解释一切。

　　虽然过着喧哗的生活，菲茨杰拉德心底却深藏着很大的野心：有一天要写一部刻画时代的杰出的长篇小说。快速创作短篇小说让他生活无虞。当时的大众杂志稿酬出奇地高，与写长篇获得版税相比，依照市场需求写畅销的短篇小说更能获得高额的经济回报。但是，没有一部沉甸甸的长篇作品，是无法作为一流作家被社会认可的，这就是当时文学界的现实——今日的情况也大致相同，只有极个别例外。菲茨杰拉德绝没有把自己当作一个轻量级的作家，他觉得只要环境允许，自己也能写出经典的长篇小说。《人间天堂》《美丽与毁灭》都是不错的长篇，评价还可以，销量也不少。但是他心中依然存有"能够写出更具深度的文学作品"的抱负与念头。

　　初入文坛和新婚的热闹告一段落之后，一九二二年菲茨杰拉德二十六岁时，和泽尔达远离纽约市区的喧嚣，搬到郊外长岛大颈去生活。他打算在这里平心静气地进行创作。但是，活泼爱热闹的泽尔达无法忍受安逸的郊区生活，再次过上了喧闹的日子。但实际上，对于菲茨杰拉德来说，这也不是完全无益的消耗——至少长岛夜夜笙歌的生活成为日后《了不起的盖茨比》的故事背景。

　　菲茨杰拉德属于以亲眼所见和亲身经历为基础进行创作的作家

（所以他身边需要泽尔达这样台风眼般活泼的女性），可以想见，如果没有长岛的浮华时光，《了不起的盖茨比》这部杰作也就无法诞生，或者会成为完全不同的作品，那些活色生香的宴会场景肯定是不会存在了。投入和产出不均，成为菲茨杰拉德这位作家的一个弱点。投入的能量过大，产出却不多（这是他小说家生涯前半期的状况）；努力投入之后，可供产出的素材又不够了（这是他写作生涯后半期的情形）。创作《了不起的盖茨比》时，这两个方面在最大限度上达到了绝妙的平衡。如此完美的均衡状态，在菲茨杰拉德的一生中再也没有第二次。

一九二四年，为了寻求更安静更适合创作长篇小说的新环境，也为了削减日益增加的生活开支（其实无论怎样改变住处，这个目的终难实现），菲茨杰拉德夫妇又搬家了。他们离开长岛，坐轮船横渡大西洋，来到法国南部的里维埃拉。不断搬家对菲茨杰拉德而言——关于这一点我也深有同感——犹如宿命。他无论如何都无法在一个地方好好待下去，因此他这一生也就从没有过自己真正的家，只是不断地租房子。攒钱的事他也从没做过。痛快是痛快，但无论居住环境还是经济状况，都从未让他得到过安宁。

姑且不论这些。在风光旖旎的法国南部，菲茨杰拉德（罕见地）下定决心全力以赴投入到创作中。可是泽尔达却觉得这种生活很无趣。长时间没有他的陪伴，令她十分厌倦。她发牢骚说，短篇小说在游乐的空闲简单几笔就可以写出来了，为什么非要这么拼命地写长篇，做如此麻烦的事情。菲茨杰拉德对长篇小说抱有的那种热切愿望，她根本就不能理解。这样一来不就完全不能玩乐了吗？好不容易来到这么美丽的国度却……她不知该怎么打发无聊的时间，不禁涌起想要报复丈夫的念头。当菲茨杰拉德将心血倾注在《了不起的盖茨比》上时，她和年轻英俊的法国海军飞行员有了私情。这是那年夏天的事。

泽尔达在少女时代与阿拉巴马州蒙哥马利市年轻的驻地军官们——当然菲茨杰拉德也在其中——就有过几次这样轻浮的恋爱。她属于那种难以取悦、无法顺利相处的女性。菲茨杰拉德习惯了其他男人对泽尔达的迷恋，他对妻子与自己牢固的感情纽带很自信。起初他并不在乎她有外遇，心想"只要不妨碍我的工作就可以"，但当他发现泽尔达深陷其中时，不禁愕然不知所措。认识他们（泽尔达和飞行员）的朋友几乎都有意无意地暗示两人发生过性关系。当然现在无从判断真伪，只能想象情形大致如此。

总之，菲茨杰拉德知道了这一切，他严厉地质问泽尔达。泽尔达承认爱上了飞行员，并提出离婚。这让菲茨杰拉德受到强烈打击，甚至连小说创作也中断了，他向二人发出最后通牒（就像小说中汤姆面对黛西和盖茨比时的情形一样）。在一连串的起伏之后，泽尔达和法国飞行员短暂的夏季恋情宣告结束。泽尔达冷静下来，认认真真地思考（如同黛西那样），不得不选择留在菲茨杰拉德身边。但是，这次事件为两人今后的生活留下了阴影。

埋头工作的丈夫，另寻欢乐的妻子——如果能将这看作是司空见惯的事，倒也罢了，可对于菲茨杰拉德来说，这是无法忍受的。他不再能集中精力安心写小说，他在情感上对妻子的百分百信赖受到了莫大的伤害。这种痛楚和焦躁，恐怕都深深影响了他在小说中对黛西形象的塑造。或许可以更恰当地说，创作时情感上遭遇的冲击无意中让他得到小说家所追求的一种"滋养"。

尽管如此，菲茨杰拉德依然想方设法坚持写作，终于完成了作品。一九二四年十月末他将《了不起的盖茨比》手稿寄给了出版社。编辑麦克斯韦·帕金斯立即给他回复了一封赞美的信。菲茨杰拉德也很高兴，他期待着这部小说能创造新的销售纪录。但是实际的情况并不理想。菲茨杰拉德曾暗自期待卖到十万册左右（这可以让他在经济上进入安全地带），可实际却只卖出两万册多一点。绝大多数评论都是赞誉之词，但就是没有想象中的那么畅销。扣去预付款，收益所剩无几，很是寒碜。为什么销售会如此惨淡？恐怕是因为这部小说对于一直追捧菲茨杰拉德的年轻粉丝们来说，内容过于深刻复杂。他们向菲茨杰拉德寻求的是明朗洒脱、略带伤感的都市小说。也就是说，菲茨杰拉德比读者们走得更远了，理智而骤然地向前迈进了一大步。

《了不起的盖茨比》被评价为"名留文学史的杰作"，被美国高中选为必读书目，每年的销量达到数十万册，这都是菲茨杰拉德身后的事情了。他"想写一部不朽的长篇小说"的愿望终于实现，只是很遗憾，他在世时没能目睹这一景象。他生前很长一段时间，人们将他视为"过气的流行作家"，把他扔在历史的黑暗中，几乎不予关注。酒精依赖症、泽尔达的疯狂和治疗、养育独生女儿等等重压，他都一个人承担，同时还忍受着经济上的长期压力，即便如此他也没有放弃文学上的野心和良心。菲茨杰拉德饱尝艰辛，坚持小说创作（不论有无全盛期和辉煌可言，他的多数作品都是值得细心阅读的佳作），直至一九四〇年去世，年仅四十四岁。临死之前，他都一直认为：海明威才是当代的文学巨星，与之相比，他自己只是学到了一些技巧的文学娼妓。有篇文章记载了他的这种真实想法。许多人认为这是菲茨杰拉德特有的"失败主义倾向"，而他的这种倾向也有着不得已为之的成分。二十世纪三十年代后期，《了不起的盖茨比》曾绝版过一段时间，有一年他的版税收入总额只有三十三美元！而与此同时，海明威则成为文学界的英雄，深受年轻人崇拜，在全世界博得了盛誉。

但是二战以后，海明威的文学声誉渐渐下降（或者说之前过高的评价得以纠正），而另一方面，美国文坛以几位文艺评论家为首，戏剧性地发起了对菲茨杰拉德文学的再评价运动，其结果就是令他的文学声名从此牢固不可动摇。的确，如今再阅读他的作品就不难理解，为何在他被重新估量的同时，海明威的长篇小说所受的评价却在逐年恶化。与海明威的作品相比较，《了不起的盖茨比》立足点非常精彩，艺术性也没有丝毫的破绽。海明威最好的长篇我认为是《太阳照常升起》，但即便是这部作品也明显比《了不起的盖茨比》差一个档次。有个成语叫"盖棺定论"，但常见的情况是盖棺后很长时间也无法形成定论的。

不管怎样，有一件事不可否认，如果菲茨杰拉德没有留下《了不起的盖茨比》这部伟大的作品，对于他的再评价——即便有——也不会出现如此戏剧性的结果。这部小说对他而言具有决定性的价值。《夜色温柔》真的很优美、很深入人心，我也非常喜欢，但与《了不起的盖茨比》相比，细节上就难免有掉以轻心的地方。菲茨杰拉德自己也很清楚这一点。一九三四年,他在一次回忆中这样说道:"创作《了不起的盖茨比》的那几个月是我最纯粹地保持着艺术良心的时期。"那么为什么其他时期没能做到这一点呢?当然存在各种原因。但是,菲茨杰拉德曾经的好友海明威对此有过一番独特的见解。"能创作出《了不起的盖茨比》这样伟大作品的作家,为什么会沉迷于酒精,过着浮华的日子,而不去认真写作呢?原因我不是很清楚。但当有一天我见到了泽尔达,就一下子恍然大悟了。"泽尔达忌妒菲茨杰拉德出众的才华,只有把他从创作中拉出来她才能获得满足。这就是海明威的解释。他在给麦克斯韦·帕金斯的信中如此写道:"菲茨杰拉德获救的道路只有两条。一是泽尔达死去,一是他弄坏自己的胃不能再喝酒。"海明威曾很认真地告诫菲茨杰拉德,泽尔达的脑子有问题,最好还是及早分手(当然菲茨杰拉德无视他的意见)。

海明威的推测在某种意义上击中了要害,但在另一种意义上又忽视了一个关键点。菲茨杰拉德从本质上说,是需要泽尔达这个发热点的,而泽尔达在本质上也同样需要菲茨杰拉德。他们两人通过这种关系,才能巧妙地交换灵感,提高创作技巧。所以,这二人在人生搭档的选择上绝对没有错。只是他们的热量都很强烈,完全超出了一般常识的范围,所以不可能长期维系良好的平衡。另外,两个人都缺乏维生所必需的实际能力,也都没有意识去弥补彼此的缺陷。即便有意识,他们也各自存在着致命的不足,没有足够的耐心去相互弥补。因而无论怎样,两人关系上的破绽都是不可避免的。只是泽尔达年纪轻轻就患上了精神疾病,这一点太出乎意料,也太过于悲剧了。

　　总之，我们只能将二人罕见的结合（或者说是一生只有一次的缘分）视为天生注定的，来阅读《了不起的盖茨比》这部近乎完美的小说（"近乎"这个词永远只是个修饰语），并为此感到庆幸。我们只有通过追溯斯科特·菲茨杰拉德和泽尔达的关系，来了解这部作品诞生的原因。即便如此，对于他们奢华、潇洒而令人惋惜的命运，我们也只能报以深深的沉思。

　　本书翻译的过程中，承蒙柴田元幸先生的帮助，与以往一样，整个校订过程都仰仗先生的参与，个别不明之处得以修正。先生还提出了几点宝贵意见，均已在译文中反映出来。在此真挚地向先生表达深切的谢意。

　　当我提起翻译了《了不起的盖茨比》时，美国人首先都会问："那么，盖茨比的口头禅 old sport 该怎么翻译成日语呢？"我是这样回答的："就直接保留了 old sport。"他们全都一副迷惑的表情，问道："难道不能找个合适的日语词汇吗？"当然，如果有"合适的日语词汇"，我也乐于使用，但我最终还是没有找到。这一点还望各位谅解。关于 old sport 这个词，我已经思考了二十多年，一直觉得"无法用其他的词替代"。二十年后的今天，我依然得出相同的结论——除了直接用"old sport"，别无他法。这并不意味着我不够努力，轻易地放过了这个词。"我只是认为，old sport"就是"old sport"，译为其他任何词都不可能。我已经这样决定了。话说回来，如果它只在个别的场景出现一下，还是有几种合适的译法的，那就是单纯的技术问题了。但是现在它作为重要的关键词在作品中出现，除了保留原形就没有别的办法了。

"Old sport"恐怕是当时英国人的说法，意思应该与今天的 old sport 接近。反正美国人是不用这种表达方式的，类似的表达在美式英语中应该是 my friend 吧。大概是盖茨比在牛津时学会了这种说法。等回到美国后，他将这个词用作了口头禅，而且装腔作势地一直使用。菲茨杰拉德通过这个称呼隐隐表现出盖茨比与生俱来的演技——很怪异同时又很天真。这种浅显的庸俗与粉色西服、黄色跑车一脉相承，样样惹得真正出身上流社会的汤姆·布坎南生气。能准确传达出这种语感的日语词汇，我花了二十多年时间也终究没有找到。

我还要讲讲另外一种个人感受，翻译《了不起的盖茨比》时，最让我费心、最花精力的是开头和结尾部分。为什么呢？这两个部分都美得令人窒息，而且是早有定论的名篇。读上几遍还是只能感慨文字的美。每一个词都有丰富的含义和实质，既具有深刻的暗示性，又犹如乙醚般清淡，想要捕捉时它却从指间溜走。坦白说，我没有足够的自信能将开头和结尾翻译得如想象中那么好，所以二十多年来我一直没有着手译这部作品，一直将它搁置在神龛上。说老实话，这是不能声张的（有可能的话，我希望这部分用小字印刷），至今我还是没有自信。反复推敲多次，我还是只能说"我竭尽全力了"。

《了不起的盖茨比》这部小说讲述一个夏天优美而悲伤的故事，我想不管形式如何，只要我们能享受到这一切就可以了。而且我希望各位能够理解四十多年来我将这部作品视为瑰宝的几个理由，只要能理解一点点就好。我希望能与各位温馨地分享这些想法，这是我最终的愿望。唠唠叨叨写了一大段，说不定其他的意义也没有了。

（本文系村上春树为他翻译的日文版《了不起的盖茨比》所写的后记，中文由张苓翻译。）

了不起的盖茨比

第一章

在我年纪还轻、阅历尚浅的那些年里，父亲曾经给过我一句忠告，直到今天，这句话仍在我心间萦绕。

"每当你想批评别人的时候，"他对我说，"要记住，这世上并不是所有人，都有你拥有的那些优势。"

他没再多说什么，不过我们总是言语不多就能彼此理解，所以我明白，他想说的远不止这些。于是，我逐渐养成了不对他人妄加评论的习惯，这样一来，许多古怪的人向我敞开心扉，一些世故而无聊的人也把我当成倾诉对象。当这种品质在一个正常人身上显露出来，那些心智不正常的人就会立刻察觉，绝不放过。由于这一点，我在大学时代受到不公平的指责，他们说我是个政客，因为我了解那些放荡、神秘的家伙不为人知的伤痛。大多数私事并不是我刻意打听的，通常的情况是——每当有准确的迹象让我意识到，有人又要吐露心声时，我就假装睡觉，假装心不在焉，或者装出很不友好、玩世不恭的样子。因为年轻人的心声，或者至少他们表达的方式，往往是雷同的，还带有明显的遮遮掩掩。不对他人妄加评论，这是一种理想境界。我现在仍担心自己因责人过苛而有所失，担心自己忘记那句父亲提出而我也一再重复的有些骄傲意味的忠告——每个人的基本道德观念生而不同，不可等量齐观。

不过，对自己的宽容夸耀一番之后，我得承认这种宽容也是有限度的。人的行为或许有坚硬的磐石作支撑，或许浸在潮湿的沼泽中养成，可是一旦超越了某个界限，我就不在乎它是建立在什么基础上了。去年秋天，我从东部回来，只想让世界上所有人都身着军装，在道德上永远保持立正的姿态。我不愿再享受窥探的特权，让别人对我推心置腹了。只有盖茨比让我破例，这个赋予了本书名字的人——盖茨比，他代表了我由衷鄙夷的一切。如果人的品格是由一连串丰富多彩的姿态组成，那么他身上则具有某种美妙而炫目的东西，他对未来的人生有着高度的敏感，仿佛与一台能够预测一万英里以外地震情况的精密机器连接在一起。这种敏感与美其名曰"创造性气质"的多愁善感毫不相干——它是一种总是充满希望的美好天赋，是一种带有浪漫色彩的聪颖气质。这种气质，我从未在别人身上见过，以后也不太可能见到了。不，盖茨比人生最后的结局无可非议，是那些吞噬他心灵的东西，那些在他梦醒后扬起的污秽尘埃，让我对人世失意的忧伤和片刻的欢欣暂时失去了兴趣。

我家三代以来都是这个中西部城市声名显赫的有钱人。卡拉韦家族也算是个世家。据说，我们是布克娄奇公爵的后裔，不过这支族系真正的创始人是我祖父的哥哥。他派了个替身去参加南北战争，五十一岁来到这里，开始做五金批发的生意，我父亲至今仍在做这行买卖。

我从未见过这位伯祖父，但是他们说我长得很像他，尤其像父亲办公室里挂着的那副板着面孔的画像。一九一五年，我从纽黑文毕业，距离父亲毕业刚好二十五个年头，不久之后，我就加入了迟来的条顿民族大迁徙——世界大战。我完全沉浸在反攻的兴奋当中，回家之后，一直静不下心来做事。中西部已不再是世界温暖的中心，它似乎成了宇宙破败的边缘，因此，我决定到东部去学做债券生意。我认识的人全都在做债券生意，所以我想，多养活我一个单身汉应该也不是问题。我的叔叔婶婶们对此讨论了好一番，就像要为我选一所预科学校似的。最后，他们神色凝重、一脸迟疑地说"呃……那就……去吧"。父亲也同意资助我一年。几经耽搁，我来到了东部，心想我将永远留在这个地方。那是一九二二年的春天。

现实的问题就是得在城里找个住处。但当时已是暖季，而我又刚离开那个草坪宽阔、树木宜人的故乡，所以当办公室里一个年轻人向我提出，一起到附近的小镇合租房子的时候，我觉得这主意很不错。他找到了一所饱经风雨侵蚀的木板平房，月租八十美元。但就在最后一分钟，公司却把他调到华盛顿去了，我只好独自一人搬到市郊。我有过一只狗，至少在它跑掉之前养了它几天；还有一辆旧道奇车和一个芬兰女佣。她为我铺床、做早点，在电炉旁一边忙活，一边念叨自己国家的格言。

头一两天，日子过得挺孤单的。直到有一天早晨，一个比我晚到这里的人在路上叫住了我。

"西卵村怎么走啊？"他无助地问道。

我给他指了路。继续向前走的时候，我已经不再感到孤单。我成了一个引路人，一个开路者，一个最初的移民。他不经意间赋予了我荣誉居民的身份。

阳光照耀大地，绿叶涌出树枝，犹如电影镜头中万物飞快生长。那熟悉的信念又回到我的心中，夏日来临，新生活开始了。

有那么多书可以读，还可以从如此盎然的新鲜空气里汲取营养。我买了十几本关于银行、信贷和投资证券的书，它们就像造币厂新印的钱币一样，一本本红皮烫金立在书架上，等着为我揭开只有迈达斯①、摩根②和米西纳斯③才知道的赚钱秘诀。除此以外，我对其他许多书籍也颇有兴致。大学时代我很喜爱文学，有一年还给《耶鲁新闻》写了一系列严肃而浅显的社论，现在我准备拾回这些兴趣，重新成为一个"通才"，就是那种博而不精的专家。只从一个窗口去观察，人生终究会成功许多——这可不仅仅是一句俏皮的警语。

我租的房子坐落在北美最不可思议的小镇上，这事纯属偶然。小镇位于纽约正东那个狭长、毫无规律可循的小岛上。这里除了千奇百怪的自然景观之外，还有两个形状怪异的半岛。它们距离城市二十英里，状如一对巨大的鸡蛋，外形一模一样。隔着一条海湾，两个半岛延伸至长岛海峡辽阔而潮湿的"后场院"——西半球那片

---

①希腊神话中的国王，曾经求神赐予点金术。

②约翰·皮尔庞特·摩根（1837－1913），美国金融巨头。

③盖乌斯·米西纳斯（前70－前8），古罗马政治家，富有而慷慨的文学赞助人。

最为温顺的海域之中。半岛并不是正椭圆形，而是像哥伦布故事中的那个鸡蛋一样，在连接大陆的一端呈扁平状。不过，它们相同的形状还是让天空飞过的海鸥惊异不已，而更令陆地生灵大开眼界的是，两个半岛除了形状和大小之外，竟无一处相似的地方。

我住在西卵村，嗯，是两个半岛中比较不时髦的一个。但这只是最表面的标签，不足以说明二者之间离奇而不祥的反差。我的房子在蛋形的顶端，距离海峡只有五十码，夹在每个季度租金一万二到一万五的两处豪宅中间。无论以何种标准，右边那幢豪宅都是一座宏伟壮观的建筑，酷似诺曼底的某个市政府。它的一边矗立着一座塔楼，在常春藤稀稀疏疏的掩映下显得簇然如新，旁边还有大理石砌的游泳池，以及四十多英亩草坪和花园。这是盖茨比的宅邸。不过我当时还不认识盖茨比，所以或许应该说：这是一位姓盖茨比的绅士的宅邸。我自己的房子难看得很，幸好它小，还不算碍眼，一直不被人注意。因此，我可以看到窗外的海景，欣赏邻居家草坪的一角，还有与富翁为邻的荣幸。而享受这一切，每个月只需花费八十美元。

海的对面，时髦的东卵村那宫殿般的白色建筑倒映在水面上，熠熠生辉。这段夏天的故事，直到我开车去汤姆·布坎南家吃饭的那个晚上，才真正开始。黛西是我的远房表妹，而汤姆跟我在大学时候就认识。大战结束之后，我和他们在芝加哥待过两天。

黛西的丈夫在各种体育项目上都颇有成就，他曾经是纽黑文有史以来最厉害的橄榄球锋线球员之一，称得上是全国知名的人物。他这种人，二十一岁便在某个方面登峰造极，往后的日子总不免有点失落的意味。他家不是一般的富裕，上大学时他随意花钱的习惯已经为人诟病。但是现在，他离开芝加哥来到东部，搬家时的架势真是令人震惊。举个例子，他把打马球要配备的一群马从森林湖运了过来。我这代人里居然有人阔绰到这种地步，实在是不可思议。

至于他们为什么要搬到东部来，我不太清楚。他们在法国待了一年，也没有什么特别的原因，接下来就居无定所地四处飘荡，哪儿能打马球、能跟有钱人在一起，他们就往哪儿去。黛西在电话里告诉我，这一次是定居了。我不相信，也不了解黛西的心思。不过我感觉汤姆会一直漂泊下去，若有所失地追寻着某场不可重现的橄榄球赛里那种喧腾与激情。

于是，在一个暖风拂面的傍晚，我开车到东卵村去见这两个我几乎不了解的老朋友。他们的房子比我想象的还要精美，明快的红白两色相间，延续乔治王殖民时代的建筑风格，面向大海，俯瞰着海湾。草坪长达四分之一英里，从海滩开始，一路越过日晷、砖径和鲜艳的花园——最后直抵豪宅跟前。凭着这股势头，一片青翠欲滴的常春藤攀着墙翩然而上。房子正面是一排法式落地长窗，此刻正迎着黄昏的暖风敞开着，反射出耀眼的金光。汤姆·布坎南身着骑装，双腿叉开站在前门廊上。

比起在纽黑文念书的那几年，他变了许多。如今三十岁的他，身体健硕，头发呈稻草色，唇角坚毅，举止高傲。一双炯炯有神的眼睛散发着傲慢的光芒，在他的脸上最为突出，永远给人一种盛气凌人的感觉。即便是那身颇显女气的靓丽骑装，也掩盖不住他身躯的魁伟强壮——他的双腿似乎将那双锃亮的皮靴撑满，鞋带的顶端也绷得紧紧的。他的肩膀一动，你就可以看到那薄外套下的大块肌肉在起伏抖动。这是一个孔武有力的身躯，一个蛮横的身躯。

他的嗓音粗鲁而沙哑，更加深了他给人留下的暴躁印象。他说起话来带着一种教训人似的轻蔑口吻，即使对自己喜欢的人也是如此。所以在纽黑文，不少人对他恨之入骨。

"听好，别以为在这些问题上我说了算，"他似乎在说，"只是因为我比你们更强壮，更男人。"当时我们两属于同一个高年级联谊会，尽管关系从未亲密过，但我总觉得他对我有些赞许，并且想通过他那粗犷而倨傲的神色，让我也喜欢他。

我们在阳光照耀的门廊上聊了几分钟。

"我这地方挺不错。"他说着，闪亮的眼睛不住地四处张望。

他用一只胳膊把我转了过来。然后伸出他宽大的手掌朝着眼前的景色一挥，我们面前有一座意大利风格的下凹式花园，半英亩香气袭人的玫瑰花丛，还有一艘翘鼻子的汽艇随着海浪在岸边起伏着。

"这地方本来是那个石油大王德梅因的。"他又突然礼貌地把我转了回去，"我们进屋吧。"

穿过挑高的走廊，我们来到一间明亮的玫瑰色大厅，两头的落地长窗将它不着痕迹地嵌入这栋房子里。窗户半开着，外面的青草好像就要长到屋里来，在那青葱的映衬下，窗户显得愈发晶莹透净。一阵微风吹进房间，窗帘就像随风飘舞的白色旗帜，一端往里摆，一端向外扬，朝着天花板上结婚蛋糕般的装饰图案卷曲而上，然后拂过酒红色地毯，犹如风拂海面，留下一道阴影。

屋里唯一纹丝不动的是一张巨大的长沙发，上面坐着两个年轻女人，好像飘浮在一只被固定住的气球上。两人都穿着一身白，裙子随风轻舞飞扬，仿佛她们刚绕着房子飞了一圈回来一样。我一定是失神地站了好一会儿，听着窗帘飘动的声响和墙上画像吱嘎的呻吟。突然砰的一声，汤姆·布坎南关上了后面的窗，室内的风才渐渐平息下来，窗帘、地毯和两个年轻的女人也随之缓缓降落到地面。

我不认识年轻一点的那个姑娘。她全身舒展，躺在沙发的一端，一动也不动，下巴稍稍抬起，好像上面顶着什么东西，要保持平衡以免它掉下来似的。不知她是否从眼角瞅到了我，总之她没有表示——老实说，我自己倒吃了一惊，几乎要张口向她道歉，怕我打扰了她。

另一个女孩，就是黛西，想试着起身。她身子微微前倾，一脸真诚。然后她扑哧一笑，莫名其妙却很迷人。我也跟着笑起来，走进屋子里。

"我幸福得快要瘫……瘫了。"

她又笑了，好像自己说了一句漂亮话。她拉起我的手不放，仰起头来看着我的脸，向我保证，这世上她最想见到的人正是我。这是她特有的方式。她小声告诉我，那个在玩平衡的女孩姓贝克。（我曾听人说，黛西喜欢耳语只是为了让别人向她靠近一点，不过这无端的闲言碎语丝毫不会减损她迷人的魅力。）

不管怎么说，贝克小姐的嘴唇动了一下，不易觉察地朝我点了点头，然后又赶紧把头仰回去——显然是那个需要平衡的东西晃了一下，让她慌了神。我的唇间又泛起一句道歉的话。这种全然自我的模样总是让我惊异又佩服。

我回头看我的表妹，她开始用低微而兴奋的声音向我发问。那声音总能吸引人听得全神贯注，好像她每句话都是只演奏一次的音符。她的脸庞忧伤而美丽，蕴含着生动的内容：明亮的眼睛，鲜艳而多情的小嘴。然而，她的声音里另有一种激动人心的美，让所有爱慕过她的男人都无法忘怀。那是一种想要歌唱的冲动，一声轻柔的"听着"，一种允诺，告诉我们她刚刚做完欢快兴奋的事情，而如此美事又在酝酿中。

　　我告诉她，我来东部的路上在芝加哥停留了一天，有十几个朋友托我向她问好。

　　"他们想我吗？"她欣喜若狂地叫道。

　　"整个城市想你都想惨了。所有汽车的左后轮子全涂成黑色，仿佛哀悼的花圈；城北的湖边，整夜都可以听到绵延不绝的哭声。"

　　"多棒啊！我们回去吧，汤姆，明天就回！"然后她又没头没脑地说了句，"你应该看看宝宝。"

　　"我很愿意。"

　　"她在睡觉。她三岁了。你还没见过她吧？"

　　"没见过。"

　　"噢，你应该见见。她是——"

　　这时，一直在屋子里坐立不安、来回走动的汤姆·布坎南停了下来，一只手放在我的肩上。

　　"你现在干些什么，尼克？"

　　"我在做债券生意。"

　　"跟谁做？"

我告诉了他。

"没听说过他们。"他断然评价道。

这话让我有些不悦。

"你会知道的，"我简短地回答，"你待在东部的话就会知道的。"

"噢，我会留在东部，这你不用担心，"他瞟了一眼黛西，又看看我，仿佛在提防着别的什么，"我要是住到其他地方去，那就是十足的笨蛋！"

"一点没错！"贝克小姐突然开口道。我被这出其不意吓了一跳——这是我进屋以来她说的第一句话。显然，她自己也跟我一样吃惊，因为她打了个哈欠，接着做了一连串灵巧而敏捷的动作站起身来。

"我都僵了，"她抱怨道，"真不知道我在那沙发上躺了多久。"

"别看我呀，"黛西驳道，"我整个下午都在劝你去纽约呢。"

"不必了，谢谢，"贝克小姐对着刚从食品间端来的四杯鸡尾酒说，"我正在严格地训练。"

男主人不可置信地看着她。

"你在训练！"他把酒一饮而尽，仿佛那是杯底的最后一滴，"我真想不明白你能做成什么事。"

我看着贝克小姐，想知道她要"做成"的是什么。我喜欢看着她。她身材苗条，乳房娇小，姿态很挺拔，因为她喜欢像个年轻的军校学生那样昂首挺胸。阳光照得她的灰眼睛眯起来，她也回看着我，在那张苍白、迷人又带着点愠色的脸上，露出了客气、回礼一般的好奇。此刻我忽然觉得，以前在什么地方见过她，或许是见过照片。

"你住在西卵村，"她不屑地说道，"我认识那儿的人。"

"我一个人都不认——"

"你一定认识盖茨比。"

"盖茨比？"黛西追问，"哪个盖茨比？"

我正想回答说他是我邻居，用人就宣布晚餐准备好了。汤姆·布坎南不容分说，用他那有力的胳膊搂紧我，拉着我出了房间，就像把棋盘上的棋子挪到另一个格子上一样。

两位年轻女子悠然慵懒地将细手搭在纤腰上，先于我们走进玫瑰色的门廊。这里面朝夕阳，餐桌上的四支蜡烛在渐息的微风中闪闪烁烁。

"点蜡烛干什么呀？"黛西皱眉反对道，用手指把它们掐灭，"再过两个星期，就是一年里白天最长的日子了。"她又神采奕奕地看着大家，"你们是不是总盼着白天最长的日子，结果却错过了？我老是盼着这一天，到头来又偏偏忘记。"

"我们得计划一下。"贝克小姐一边坐下来，一边打着哈欠说道，好像要上床睡觉似的。

"好啊，"黛西说，"计划些什么呢？"她无助地朝向我，"人们都计划些什么？"

我刚要回答，她的双眼突然惊恐地紧盯着自己纤细的手指。

"你看！"她怨道，"受伤啦。"

我们都看过去——指关节一块青紫。

"是你弄的，汤姆，"她责怪道，"我知道你不是故意的，但就是你弄的。这就是我嫁给一个粗人的报应，你这个五大三粗、结实又笨重的——"

"我讨厌'笨重'这个词，"汤姆生气地反驳道，"开玩笑也不行。"

"笨重。"黛西还是又说了一遍。

有时候她和贝克小姐闲聊，并不刻意惹眼，只是开开玩笑，也绝不会喋喋不休。她们的言谈就像她们身上的白色衣裙，以及那不含一丝欲念的双眸一样，清爽而淡然。她们坐在这儿，应和着汤姆和我，尽量客气地保持着愉悦，与我们相互应酬。她们知道晚餐很快就会结束，夜晚也将随之而去，在不知不觉间消散。这与西部截然不同。西部的夜晚总是一个个阶段紧密相连，直至结束，让人不断地在期待中失望，或者对时间的流逝深感焦虑。

"你让我觉得自己不够文明，黛西。"喝第二杯红酒的时候，我坦陈道。这酒虽有点软木塞的气味，但口感依然很不错。"你就不能聊聊庄稼什么的吗？"

我说这话并没有什么特别的意思，却得到了出人意料的回应。

"文明要土崩瓦解了，"汤姆猛然脱口而出，"我最近对世事非常悲观。你读过戈达德这个人写的《有色帝国的崛起》吗？"

"怎么了，没读过。"我对他的语气感到吃惊。

"嗯，这是本好书，每个人都应该读一读。它讲的是，如果我们不警惕，白种人就会——就会完全被淹没。都是有科学根据的，已经被证明了。"

"汤姆越来越深刻了。"黛西说着，脸上露出不经意的忧伤，"他读的书很深奥，净是些长单词。那个词是什么来着，我们——"

"我说，这些书都是很科学的，"汤姆不耐烦地瞥了她一眼，照旧说道，"这家伙把道理说得明明白白。这取决于我们占统治地位的人种，如果我们不提高警惕，其他人种就会掌控一切。"

　　"我们要把他们打倒。"黛西小声说着，强烈的太阳光让她不住地眨眼。

　　"你应该住到加州去——"贝克小姐开口道，但是汤姆在椅子上使劲挪了挪身子，打断了她。

　　"作者认为，我们都是北欧民族。我是，你是，你也是，还有——"他不易觉察地犹豫了一下，然后轻轻向黛西点点头，把她也囊括进来。黛西又冲我眨了眨眼。"我们创造了所有构建文明的事物，嗯，科学、艺术，所有这一切。明白了吗？"

　　他那股专注中隐藏着些许悲哀，仿佛他的自满虽比以前更加强烈，却让他感到并不满足。就在这时，屋里的电话铃响了，管家离开了门廊，黛西抓住这个间隙，向我探过身来。

　　"我要告诉你一个家里的秘密，"她兴奋地耳语道，"是关于管家的鼻子。你想听听管家鼻子的故事吗？"

　　"我今晚来就是要听这个。"

　　"他呀，不是一直都当管家，以前他在纽约给人擦银器。那家人有一套供两百人用的银餐具。他得从早擦到晚，后来他的鼻子就出了问题……"

　　"事情越变越糟。"贝克小姐提了一句。

　　"是啊，越变越糟，直到最后他不得不辞了那份工作。"

　　有那么片刻，夕阳的最后一抹余晖浪漫而温情地落在她光彩奕奕的脸上，她的声音让我情不自禁地凑上身去屏息聆听——接着，余晖散去，每一线光都带着依依不舍的惆怅离她而去，就像孩子们在黄昏中离开一条充满欢乐的街道。

管家回来了，在汤姆耳边小声说了几句话。汤姆皱起眉头，向后推开椅子，一言不发地走进屋去。他的离开似乎唤醒了黛西内心的某种东西，她又倾身向前，声音里闪着光，宛如在唱歌一样。

"我喜欢你坐在我的餐桌边，尼克。你让我想起——想起一朵玫瑰，一朵纯粹的玫瑰。他像不像？"她转向贝克小姐，期待她的附和，"一朵纯粹的玫瑰？"

这不是真的。我一点儿都不像玫瑰。她只是随口一说，但是她的身上流淌着一股撩动人心的柔情，似乎在那扣人心弦、令人喘不过气来的话语里藏着她的真心，正要向你袒露一番。然后，她突然把餐巾扔到桌上，道了一声歉便走进屋去。

贝克小姐和我交换了一下眼色，故意不表露出任何意思。我正要说话，她警觉地坐直身子，说了一声"嘘"。这时可以听见屋里传来一阵激动而又刻意压低的谈话声，贝克小姐毫无顾忌地探过身去，想听个清楚。交谈声断断续续，时而低沉，时而又激动地高昂起来，然后完全停下。

"你说的那位盖茨比先生是我的邻居——"我开始说道。

"别说话。我想听听发生了什么。"

"是有什么事吗？"我天真地问道。

"你不知道？"贝克小姐着实感到吃惊，"我以为人人都知道呢。"

"我不知道。"

"哎哟——"她迟疑了一下，"汤姆在纽约有个女人。"

"有个女人？"我茫然地重复了一遍。

贝克小姐点了点头。

"她好歹也该懂点规矩，别在晚餐时间给他打电话呀。你说是吧？"

我还没来得及领会她的意思，就听见裙摆窸窣和皮靴嘎吱的声音，汤姆和黛西回到了餐桌边。

"真没办法！"黛西强颜欢笑地大声道。

她坐了下来，探究般地将贝克小姐和我打量了一番，继续说道："我到屋外去看了看，外面可真是浪漫哪。草坪上有一只鸟，我想它一定是乘坐'康拉德'或者'白星'①的油轮而来的夜莺。它一直在唱歌呢——"她的声音也像唱起歌来一般，"浪漫极了，是不是，汤姆？"

"很浪漫。"他应道，然后苦着脸对我说："如果吃完晚餐天色还亮，我想带你去看看马厩。"

屋里的电话令人惊异地又响了起来。黛西坚决地向汤姆摇了摇头，于是看马厩的事，连同其他所有事情，全都烟消云散。我只依稀记得在餐桌边的最后五分钟，蜡烛又无端地被点燃，我意识到自己想好好看看每个人，可又不想遇上他们的目光。我不知道黛西和汤姆在想些什么，但面对这第五个人尖利如金属般的催命铃声，我

①康拉德和白星是当时英国的两家轮船公司。

怀疑即便像贝克小姐这样饱经世故、处事不惊的人也无法全然无动于衷了。对于某种性情的人来说，这个场面或许挺有意思——而我自己的本能反应则是立刻打电话报警。

不用说，马厩的事再也没有提起过。汤姆和贝克小姐漫步向书房走去，两人之间隔着几英尺的暮色，就像要去为一具真真切切的尸首守夜一样。而我跟着黛西穿过一连串相接的长廊走到前面的门廊，尽量装出兴致勃勃且并不知情的样子。昏暗的夜色中，我和她并肩坐在一张柳条长椅上。

黛西双手捧着自己的脸，似乎在感受它可爱的轮廓，她的眼睛慢慢移向天鹅绒般的暮色。我看出她的内心被一阵混乱的情感攫住，便问了几个关于她小女儿的问题，想让她平静下来。

"我们彼此不是非常了解，尼克，"她突然说，"虽然我们是表亲戚。你都没参加我的婚礼。"

"我在打仗，还没回来。"

"是啊，"她犹豫了一下，"唉，我过得很不好，尼克，我什么都看透了。"

显然，她这样是有原因的。我等着听，可她没再说下去，于是过了一会儿我又支支吾吾回到了她女儿的话题。

"我想她会说话，会吃饭，什么都会了吧。"

"嗯，是啊，"她心不在焉地看着我，"听着，尼克，我告诉你她出生的时候我说了些什么。你想听吗？"

"非常想。"

"你会明白我为什么对世事——有这种感觉。孩子出生还不到一个小时，汤姆就不知道跑哪儿去了。我从麻醉中醒来，有一种被完全抛弃的感觉，马上问护士是男孩还是女孩。她告诉我是个女孩，我扭过头去流下了眼泪。'好吧，'我说，'是个女孩我很高兴。我希望她是个傻瓜——这是女孩在这世上最好的出路，做一个漂亮的小傻瓜。'"

"你看，反正我觉得一切都糟透了。"她确信无疑地说，"人人都这么认为，最高明的人也不例外。我知道。我哪儿都去过，什么都看过，什么都做过。"她的双眼环视四周，闪烁着挑衅的光芒，很像汤姆。接着她笑了出来，声音里满含着令人颤栗的嘲讽，"世故啊——上帝，我是个久经世故的人！"

她的话音刚落，不再迫使我注意和相信她时，我就觉察出她刚才所说并非出于真心。这让我感到不舒服，仿佛整个晚上都是一场骗局，就为了让我奉献出一份情感。我等待着，果然，过了一会儿她看着我，那张可爱的脸上的确露出了得意的笑，好像在宣称，她已经加入了一个著名的秘密社团，汤姆也是其中的成员。

屋里，灯光映照着整个绯红色的房间。汤姆和贝克小姐各自坐在长沙发的一头，她为他大声朗读着《星期六晚邮报》——那些字句被一种含混而没有起伏的腔调连缀在一起，倒让人感觉心神安宁。灯光照在他的靴子上闪闪发亮，而映在她秋叶般发黄的头发上却暗淡失色。她翻过一页，手臂上纤细的肌肉随之牵动，灯光在纸页上闪烁着。

我们进屋的时候，她举起一只手，示意我们先别说话。

"未完待续，"她说着，把杂志扔到桌上，"请见下期。"

她抖了抖膝盖，身体振作了一下，站了起来。

"十点了，"她说着，好像在天花板上看到了时间，"好女孩要去睡觉啦。"

"乔丹明天要参加锦标赛，"黛西解释道，"在韦斯特切斯特那边。"

"哦——原来你是乔丹·贝克啊。"

现在我知道为什么她看上去那么眼熟了。在报道阿什维尔、温泉和棕榈海滩体育赛事的许多报刊照片上，我都曾见过那张愉悦中带着傲慢的面孔。我也听说过她的故事，一些尖刻的、令人不悦的传闻，不过具体是什么我早就忘了。

"晚安，"她轻柔地说，"八点叫醒我，好吗？"

"只要你醒得来。"

"我醒得来。晚安，卡拉韦先生。改天再见。"

"当然会再见的，"黛西肯定地说，"老实说，我还想撮合你们俩呢。尼克，你经常过来玩玩，然后我就会——呃——把你们俩拴在一起。比如说，突然把你们关到衣橱里，或者推到小船上出海去，诸如此类的——"

"晚安，"贝克小姐在楼梯上喊道，"我什么都没听见。"

"她是个好女孩。"过了一会儿,汤姆说,"他们不应该让她这样，全国各地到处乱跑。"

"谁不应该？"黛西冷冷地问道。

"她的家人。"

"她家就只有一个姑妈，老得有上千岁了。再说，尼克会照顾她的，对吧，尼克？这个夏天她会常来这儿过周末。我觉得这儿的家庭环境对她有好处。"

黛西和汤姆沉默地对视了一会儿。

"她是纽约人吗？"我赶紧问。

"路易斯维尔人。我们一起在那儿度过纯洁的少女时代。我们美好而纯洁的——"

"你是不是在门廊上跟尼克说什么贴心话了？"汤姆突然质问道。

"我说了吗？"她看着我，"我好像不记得了，不过我想我们讨论北欧民族来着。对，我确定，我们不知不觉就聊到了这个话题……"

"尼克，别相信你听到的任何事。"他告诫我。

我随口说了句我什么都没听到，几分钟后，我就起身回家了。他们把我送到门口，两人并肩站在一方明亮的灯光里。我发动了汽车，就在这时黛西不容分说地喊道："等等！"

"我忘了问你件事，很重要的。我们听说你在西部跟一个女孩订婚了。"

"对呀，"汤姆友善地附和道，"我们听说你订婚了。"

"没这回事。我这么穷。"

"可是我们听说了。"黛西坚持道，她又像花朵一般绽放开来，这让我吃惊不已。"我们听三个人说过，所以一定是真的。"

当然，我知道他们指的是什么，但是我压根就没订婚。我来东部的原因之一，正是为了避开那些说我要结婚的谣传。你不能因为流言就不跟一个老朋友来往，但另一方面，我也不想迫于传言的压力而结婚。

他们的关心倒让我很感动，也让富有的他们显得不那么高高在上、遥不可及——不过我开车离去时，还是感到困惑，也有点厌恶。在我看来，黛西现在该做的就是抱着孩子赶紧离开这个家，但她显然没有这种打算。至于汤姆，"在纽约有女人"这种事真的并不令人吃惊，出乎意料的是他竟会被一本书弄得如此沮丧。某种东西让他开始关心陈腐的思想，仿佛强壮的体格赋予他的自尊自大已不再滋养他那颗傲慢专断的心了。

路旁旅馆的屋顶上，加油站门前的场地中，一切已显露出盛夏的景象。一台台崭新的红色加油泵蹲在灯的光圈里。我回到西卵村的住所，把车开进车棚，在院子里一台被弃置的割草机上坐了一会儿。夜风已经不见踪影，留下的是一个鼓噪而明亮的夜晚，树上不断有翅膀拍打的声音，大地的风箱扬起青蛙的热情，它们鼓足气力奏出绵延不断的风琴声。一只猫的身影在月光下摇摆前行，我转过头去看它的时候，发现自己并非独自一人。五十英尺之外，有个人从我隔壁豪宅的阴影中走了出来。他站在那儿，双手插在口袋里，仰望着夜空中的银色繁星。他悠然自在的举止和双脚踏在草坪上的稳健姿态让我看出，这就是盖茨比本人。他走出来看看，我们头顶的天空哪一片是属于他的。

我决定跟他打声招呼。贝克小姐在晚餐时提到了他，我可以用来作自我介绍。但是我没有，因为他突然做了一个动作，仿佛在暗示他正沉浸于独处中——他用一种奇怪的方式朝着幽暗的海水伸出双臂，尽管离我很远，但我敢肯定他在发抖。我不由地朝海面望去，那里除了一盏绿灯，什么也没有。它渺小而遥远，或许是在码头的尽头。当我再去看盖茨比时，他已经不见了，我又独自坐在这不平静的暗夜中。

第二章

　　在西卵村和纽约之间大概一半路程的地方，公路匆匆与铁道会合，和它并行四分之一英里，为的是避开一片荒凉的地区——灰烬之谷。在这个奇异的农场上，灰烬像麦子一样生长，长成山脊、山丘和奇形怪状的园子；又堆成房屋、烟囱和袅袅炊烟的模样；最后经过卓绝的努力，变成一群土灰色的人，他们隐隐约约是在行走，但眼看就要消失在飞扬的尘土中。偶尔有一列灰色的车厢沿着看不见的铁轨缓慢爬行，突然嘎吱一声惨叫，列车停下，那些土灰色的人拖着沉重的铁铲拥上前来，扬起浓密的烟尘，就像拉起一道屏幕，让你看不清他们的举动。

　　然而稍过一会儿，在这片灰蒙蒙的土地和永远笼罩在它上空的一阵阵暗淡的尘埃之上，你就会看到 T. J. 埃克尔堡医生的大眼睛。这双眼睛湛蓝而巨大，仅瞳仁就有一码高。它们并没有嵌在什么人的脸上，而是从一副硕大的黄色边框眼镜中往外眺望，眼镜架在一个不存在的鼻子上。显然，是某个异想天开的眼科医生把它们立在那儿的，想为他在皇后区的诊所招徕生意。后来，也许他自己永远地闭上了眼睛，或者迁至异乡忘掉了这个招牌。而这双眼睛，由于日晒雨淋，常年无人上漆，光彩已逐渐暗淡，却仍若有所思地注视着这片阴沉沉的灰堆。

灰烬之谷的一边有条肮脏的小河。每当吊桥拉起让驳船通过的时候，在火车上等着过桥的乘客就可以对着这片破败的景象盯上半个小时之久。平时火车在这儿也至少会停留一分钟，正因为此，我才第一次遇到了汤姆·布坎南的情妇。

所有知道他的人都认定他有个情妇。他总带着她到大家常去的餐馆，把她一个人扔在餐桌边，自己则到处闲逛，跟认识的人聊天。熟人们很反感他这一点。尽管我对她很好奇，但是并没想跟她会面——不过我还是见到了她。一天下午，我和汤姆一起坐火车去纽约。火车在灰堆旁停下的时候，他突然跳起来，拽住我的臂肘，硬是把我拉下了车。

"我们下车，"他坚持道，"我让你见见我女朋友。"

我想他一定是午餐的时候喝多了，那副拉着我作陪的架势近乎粗暴。他自大地以为，星期日下午我不会有什么要紧的事可做。

我跟着汤姆翻过一道低矮的刷得雪白的铁路栅栏，在埃克尔堡医生目不转睛的注视下沿着公路往回走了一百码。视野里唯一的建筑就是一小排黄砖房子，坐落在这片荒凉之地的边缘，类似于一条为居民提供日需品的小型"主街"，四周就再无其他了。这排房子有三家店铺，一家正在招租；另一家是通宵营业的餐馆，门前有一条炉渣小道；第三家是个汽车修理铺，招牌上写着：修车，乔治·B.威尔逊，买车卖车。我跟着汤姆走了进去。

车铺里面空空荡荡，很不景气，唯一能看见的汽车就是一辆盖满灰尘的破福特，蹲伏在阴暗的角落里。我突然觉得，这家有名无实的修理铺是个幌子，在我头顶上一定隐藏着奢华而浪漫的寓所。就在这时，老板出现在办公室门口，用一块抹布擦着手。他有一头金发，无精打采、面色苍白，长得倒还可以。他看见我们的时候，那双浅蓝色的眼睛里涌出一线淡淡的希望。

"你好啊，威尔逊，老伙计，"汤姆说着，快活地拍拍他的肩膀，"生意怎么样？"

"还行吧，"威尔逊答道，却没什么说服力，"你什么时候把那辆车卖给我啊？"

"下个星期。我已经叫我的人在弄了。"

"他手脚挺慢的，是吧？"

"不，不慢。"汤姆冷冷地说，"如果你这么想的话，或许我还是卖给别的地方更好。"

"我不是这个意思，"威尔逊立刻解释道，"我只是说——"

他的声音渐渐消失，汤姆有些不耐烦，四下打量着车铺。接着，我听见楼梯上传来脚步声，片刻后，一个女人丰腴的身影挡住了办公室门口的光线。她三十五六岁，有点发福，却像有的女人一样多了几分肉感。她穿着一件沾着油渍的深蓝色双绉连衣裙，上面的那张面孔并无多少姿色，但是能让人一下子感觉到她充满活力，仿佛全身的神经都在不停地燃烧。她缓缓一笑，从她丈夫身边若无其事地走过，仿佛他是个鬼魂一般，然后她握住汤姆的手，用激动的眼神看着他。她润了润双唇，头也不回地用低沉而沙哑的声音对丈夫说："去拿几把椅子呀，怎么愣在这儿，得让人有地方坐啊。"

"哦，对。"威尔逊连声应道，往小办公室走去，他的身影马上就跟墙上的水泥颜色融成一片。灰白色的尘埃掩盖了他深色的外套和浅色的头发，也笼罩了周围的一切——除了他的妻子。她向汤姆走近。

"我要见你，"汤姆热切地说道，"搭下一班火车吧。"

"好。"

"我在底层的报亭旁边等你。"

她点了点头，从他身边走开，刚好乔治·威尔逊拿着两把椅子从办公室里出来。

我们在公路旁没人看见的地方等她。再过几天就是七月四日了，一个灰头土脸、骨瘦如柴的意大利小孩正沿着铁轨燃放一排鱼雷炮。

"这地方真可怕，是吧。"汤姆冲着埃克尔堡医生皱了皱眉。

"太糟了。"

"离开这儿对她有好处。"

"她丈夫不反对吗？"

"威尔逊？他以为她去纽约看她妹妹。他蠢透了，连自己是不是活着都不知道。"

所以汤姆·布坎南和他女朋友还有我一起去了纽约，其实不是"一起"，因为威尔逊太太很谨慎地坐在另一节车厢。汤姆还是妥协了，他不想引起火车上其他东卵村人的反感。

她换上了一条棕色花布连衣裙，到了纽约，汤姆扶她下车时，她那宽肥的臀部把裙子绷得紧紧的。她在报亭买了一份《纽约闲话》和一本电影杂志，又在车站的药店买了点冷霜和一小瓶香水。上楼之后，在阴沉、回声四起的车道旁，她放过了四辆出租车，最后选中一辆浅紫色配有灰色坐垫的新车。我们坐着它慢慢驶出庞大的车站，开进灿烂的阳光里。可是她马上又猛然从车窗边转过头来，探身向前，敲了敲车前的玻璃。

　　"我要一只那样的狗，"她急切地说，"我想在公寓里养只那样的小狗。养只狗，挺好的。"

　　我们的车退回到一个灰白头发的老人跟前，他长得和约翰·D.洛克菲勒出奇地相像。一只篮子挂在他脖子上，十几只刚出生的小狗蜷缩在里面，看不出是什么品种。

　　"它们是哪个品种的？"老人刚走到车窗前，威尔逊太太就急着问。

　　"什么品种都有。您想要哪种，太太？"

　　"我想要只警犬，估计你没有吧？"

　　老人犹豫地往篮子里瞅了瞅，伸进手去捏着一只小狗的颈背把它拎了出来，小狗扭来扭去。

　　"这可不是警犬。"汤姆说。

　　"对，不是真正的警犬。"老人的声音流露出失望的情绪，"更像是一只艾尔谷犬。"他抚摸着小狗后背的棕色皮毛，"瞧瞧这身皮毛，真不错。这种狗绝不会感冒，给您添麻烦的。"

　　"我觉得好可爱。"威尔逊太太兴高采烈地说，"多少钱呀？"

"它吗？"他用赞赏的眼光看着小狗，"要您十美元吧。"

这只艾尔谷犬——它的的确确有些艾尔谷犬的特征，尽管爪子白得出奇——就这样有了新的主人，坐进威尔逊太太的怀里。她满心欢喜地抚摸着那不怕伤风着凉的皮毛。

"是男孩，还是女孩？"她巧妙地问。

"这只狗吗？是男孩。"

"是母狗。"汤姆断然说道，"给你钱。拿去再进上十只。"

我们的车开到第五大道。夏天的星期日下午，这里和煦温暖，简直一派田园气息。如果在街角看见一群白色的绵羊，我也不会感到奇怪。

"停一下，"我说，"我得在这儿跟你们分开了。"

"不，你不能走，"汤姆急忙插话，"如果你不跟我们一起去公寓，默特尔会伤心的。是吗，默特尔？"

"来吧，"她劝我道，"我会打电话让我妹妹凯瑟琳过来。有眼光的人都说她漂亮。"

"呃，我很想去，不过——"

出租车继续前行，掉头穿过中央公园，朝西城一百号以上的街区驶去。到了一百五十八号街，出现了一长排白色蛋糕一样的房子，车子在其中一幢前面停下来。威尔逊太太一副女王回宫的架势，环视了一下四周，然后带着她的小狗和采购来的其他东西，趾高气扬地走了进去。

"我把麦基夫妇请上来，"我们乘电梯时她宣布，"当然还要打电话让我妹妹也来。"

他们的公寓在顶层，有一间小客厅，一间小餐厅，一个小卧室，还有一个浴室。一套花色织布装饰的家具实在太大，把客厅挤得满满的，一直顶向门口，在屋子里走两步就会撞上装饰布面中的风景——一幅幅凡尔赛宫里的仕女荡秋千图。墙上唯一的画是一张放得过大的照片，乍看之下像是一只母鸡坐在一块模糊不清的石头上。不过从远处望去，母鸡变成了一顶帽子，帽子下面是一个壮实的老太太笑盈盈的脸，她正俯视着房间。桌子上放着几本过期的《纽约闲话》，还有一本《彼得·西蒙传》和几本专门报道百老汇绯闻的杂志。威尔逊太太首先关心的是那只狗。一个电梯工不太情愿地弄来了一只垫满稻草的盒子和一些牛奶，又主动在牛奶里放上一大听又大又硬的狗食饼干，其中一块在牛奶碟里泡了一下午，都丝毫没有泡烂。这时候，汤姆从一个上了锁的柜子里取出一瓶威士忌。

我平生只醉过两次，第二次就是在那个下午。所以，随后发生的一切都被蒙上了一层模糊的薄雾，尽管晚上八点以后公寓里仍然充满灿烂的阳光。威尔逊太太坐在汤姆的腿上，给好几个人打了电话；然后香烟没有了，我就去街角的药店买了几包。等我回来时，他们俩都不见了，于是我很知趣地坐在客厅里，读了读《彼得·西蒙传》的一章——或许是它写得太烂，或许是威士忌把我搞得神志不清，总之我压根没有看懂。

汤姆和默特尔（第一杯酒下肚之后，威尔逊太太和我就互相直呼名字了）再次出现时，客人们也陆续到来。

威尔逊太太的妹妹凯瑟琳大约三十多岁，是一个苗条而俗气的女人，留着一头又硬又密的红色短发，脸上搽的粉像牛奶一样白。

眉毛是拔过又画上去的，眉尖勾得更弯，但是自然的力量却让新长出来的眉毛回到原本的眉线上去，令她的面目也显得有些模糊。她一动，手臂上数不清的陶制镯子就会碰来碰去，丁当作响。她大模大样地走进屋来，像主人一样扫视了一圈四周的家具，让我不禁怀疑她是否就住在这里。但是当我问起时，她毫无顾忌地放声大笑，提高嗓门重复了一遍我的问题，然后告诉我她和一个女孩住在旅馆里。

楼下的麦基先生是个皮肤苍白、有点女气的男人。他刚刮过胡子，颧骨上还有一点白色的肥皂沫。他必恭必敬地跟屋里每个人打了招呼。然后告诉我他是"玩艺术"的，后来我才知道，他是个摄影师，墙上挂着的那张威尔逊太太母亲的照片就是他放大的，模糊得仿佛一个飘忽的幽灵。他的妻子尖声细嗓，神情懒散，容貌不错却不讨人喜欢。她得意地告诉我，自从结婚以来，她丈夫已经为她拍了一百二十七张照片。

威尔逊太太不知何时换了衣服，现在穿的是一件做工精良的乳白色雪纺绸小礼服，在屋里来回走动时，不断发出沙沙的声响。在衣服的作用下，她的神态也变了。车铺里那种饱满的活力变成了目空一切的傲慢。她的笑声，她的姿势，她的谈吐，一刻比一刻更加做作。随着她不断膨胀，屋里的空间显得越来越小，直到后来，她仿佛在烟雾弥漫的空气中坐着一个吱嘎作响的木轴旋转起来。

"亲爱的，"她装腔作势地大声对她妹妹说，"这年头多数人都是骗子。他们想的全是钱。上个星期，我叫一个女人来看看我的脚，等她拿出账单来，你以为她给我割了阑尾呢。"

"那女人叫什么名字？"麦基太太问。

"埃伯哈特太太。她走街串巷上门给人看脚。"

"我喜欢你的裙子。"麦基太太说，"我觉得很好看。"

威尔逊太太轻蔑地把眉毛一挑，回绝了这句恭维话。

"不过是身旧行头，"她说，"我不在乎自己什么模样的时候，就随便套上它。"

"但是你穿着挺好看的，你明白我的意思吧，"麦基太太照旧说下去，"如果切斯特能把你这姿态拍下来，我想一定会是幅杰作。"

我们都安静地看着威尔逊太太，她撩开眼前的一缕头发，转过头来对着我们粲然一笑。麦基先生把头歪向一边，专注地端详着她，然后伸出一只手在面前慢慢地前后移动。

"我得换个光线，"过了一会儿，他说，"我想把她面貌的立体感呈现出来，还要试着把她后面的头发也拍进来。"

"我可不觉得需要换光线，"麦基太太叫道，"我觉得这——"

她丈夫说了声"嘘"，于是我们又把目光投向摄影的对象。这时候，汤姆·布坎南大声打了个哈欠，站起身来。

"麦基，你们夫妇俩喝点什么吧。再来点冰块和矿泉水，默特尔，别让大家都睡着了。"

"我早让那男孩去拿冰块了。"默特尔挑了挑眉毛，对下人的懒惰表示无奈，"这些人！你得一直盯着他们才行。"

她看着我，莫名其妙地笑了笑。然后快步跑到小狗跟前，忘形地亲了亲它，接着大摇大摆往厨房走去，好像有十几个大厨正在那里等她吩咐似的。

"我在长岛那边拍过一些很好的照片。"麦基先生自信地说。

汤姆茫然地看着他。

"有两幅我还装上了框挂在楼下。"

"两幅什么？"汤姆问道。

"两幅专题作品。一幅我叫它《蒙托克角——海鸥》，另一幅叫《蒙托克角——大海》。"

妹妹凯瑟琳挨着我在沙发上坐了下来。

"你也住在长岛那边吗？"她问道。

"我住在西卵村。"

"真的吗？一个来月以前我去那儿参加了一场宴会。在一个叫盖茨比的人家里。你知道他吗？"

"我住在他隔壁。"

"哦！他们说他是德国皇帝凯撒·威廉的侄子或者表弟什么的，他的钱都是从那里来的。"

"真的？"

她点点头。

"我有点怕他。不想跟他有什么瓜葛。"

关于我邻居这些饶有趣味的消息被麦基太太打断了，她突然指着凯瑟琳。"切斯特，我觉得你能给她拍张好看的。"她脱口而出。不过麦基先生只是不耐烦地点了点头，把注意力转向了汤姆。

"如果能找到机会，我想在长岛多开展点业务。我唯一需要的就是有人帮我开个好头。"

"你问默特尔好了，"这时候威尔逊太太正端着托盘进来，汤姆边说边哈哈一笑，"她会给你写封介绍信，对吧，默特尔？"

"干吗？"她吃惊地问道。

"你可以帮麦基写一封介绍信给你丈夫，然后他就会为你丈夫拍几幅专题作品。"他的嘴唇不出声地动了几下，接着随口编道："《油泵前的乔治·B.威尔逊》或者这一类的东西。"

凯瑟琳凑到我耳边，小声对我说："他们俩都受不了自己家那位。"

"是吗？"

"受不了。"她看看默特尔，又看看汤姆，"我是说，既然受不了，干吗还一起生活？如果我是他们，就马上离婚然后跟对方结婚。"

"她也不喜欢威尔逊吗？"

这个问题的答案出乎我的意料。默特尔听到了我们的对话，她的回答粗鲁而低俗。

"你看，"凯瑟琳得意地喊道，然后又压低了嗓门，"他们不能结合，其实是因为他老婆。她是天主教徒，不赞成离婚的。"

黛西不是天主教徒，这句煞费苦心编造的谎言让我有点震惊。

"要是结成了婚，"凯瑟琳继续道，"他们准备去西部住一阵，等风头过去再回来。"

"去欧洲会更保险。"

"哦，你喜欢欧洲吗？"她惊讶地高声问道，"我刚从蒙特卡洛回来。"

"真的？"

"就在去年。和另一个姑娘一起去的。"

"待得久吗？"

"没多久，只去了一下蒙特卡洛，然后就回来了。我们是从马赛去的。走的时候带了一千两百多美元，可是不到两天就在赌场的包房里被骗了个精光。跟你说吧，我们回来的时候可惨了。老天，我恨死那个城市了！"

窗外，傍晚的天空绽放开来，犹如地中海湛蓝而甘美的海水——这时麦基太太那尖厉的声音又把我拉回到房间里。

"我也差点犯了个错误，"她提高了嗓门说道，"我差点就嫁给一个追了我好几年的犹太小伙子。我知道他配不上我。人人都跟我说：'露西尔，那家伙比你差远了。'但是如果没遇上切斯特，我肯定就跟着他了。"

"没错，可是听着，"默特尔·威尔逊不住地点着头，"至少你没跟他结婚啊。"

"我知道我没有。"

"唉，可是我嫁了，"默特尔含糊地说，"这就是你和我的不同之处。"

"那你为什么要嫁给他，默特尔？"凯瑟琳问道，"没人强迫你啊。"

默特尔想了下。

"我嫁给他，是因为我以为他是个绅士，"她终于说道，"我以为他挺有教养，可是他连舔我的鞋子都不配。"

"你有段时间可是很迷他的。"凯瑟琳说。

"很迷他！"默特尔难以置信地嚷道，"谁说我迷他了？我对他的迷恋从来没有超过对那个男人的。"

她突然指着我，每个人都用责备的眼神看着我。我尽力装出一副不指望什么人爱我的表情。

"我唯一被迷住的时候就是结婚那会儿。很快我就知道自己犯了个错误。他借了人家最好的西装去结婚，而且一直都没告诉我。有一天他不在家，人家来要。'哦，是你的衣服啊。'我说，'我还是第一次听说。'不过我还给了他，然后躺到床上，稀里哗啦地哭了一个下午。"

"她真的应该离开他。"凯瑟琳又对我说，"他们俩在那车铺的楼上住了十一年。汤姆是她的第一个爱人。"

那瓶威士忌——已经是第二瓶了——在座的人不停地斟来倒去，除了凯瑟琳，她"什么都不喝也照样感觉很好"。汤姆按门铃叫看门的人，让他去买一种出名的三明治，能抵一顿晚餐。我想离开，在柔和的暮色中向东朝公园走走，但是每次我要起身，都被卷入一阵激烈刺耳的争论中，就好像有根绳子将我拉回座位似的。城市上空我们这一排透着灯光的窗户，对于昏黄街道上漫步的行人来说，一定蕴藏着几许人生的秘密。我也看到了这样一位行人，正在抬头仰望，独自思索。我既在其中，又在其外，对人生的变幻无穷感到陶醉又厌恶。

默特尔把她的椅子拉到我的旁边，突然一股温热的气息向我涌来，她讲起与汤姆第一次见面的故事。

"那是发生在两个面对面的小座位上，火车上经常剩下这两个座位没人坐。我打算来纽约看我妹妹，在这儿住一晚。他穿了一身礼服，一双漆皮鞋，我忍不住一直朝他看，但是每次他一瞅我，我就不得不假装看他头上的广告。下了火车往车站走的时候，他就挨在我身边，雪白衬衫的前胸紧贴着我的胳膊，我告诉他我可要报警了，不过他知道我是骗人的。我神魂颠倒地跟着他上了出租车，还以为自己坐的是地铁。我脑子里一遍又一遍地安慰自己：'人生苦短啊，人生苦短。'"

她转身看着麦基太太，屋里到处荡漾着她虚浮的笑声。

"亲爱的，"她大声说，"这身衣服我穿完就给你。明天我再去买一件。我要把所有该做的事列张单子。按摩、烫发，给小狗买个项圈，买个小巧可爱的弹簧烟灰缸，再给妈妈的墓地买一个系黑丝结的花圈，可以摆一夏天的那种。我一定得写下来，要不然就会忘记该做什么了。"

那时候是九点——但一转眼我再看表，发现已经十点了。麦基先生在椅子里睡着了，双手握拳放在大腿上，活像一张实干家的照片。我掏出手帕，把他脸上那一点让我难受了一下午的干肥皂沫擦掉。

小狗坐在桌子上，两眼透过烟雾茫然地张望，时不时轻轻呻吟几声。屋里的人们一会儿消失，一会儿又出现，准备要出发，可又找不到对方了，然后在互相寻找中，发现彼此就在眼前。将近午夜的时候，汤姆·布坎南和威尔逊太太面对面站在那里，激烈地争吵着：威尔逊太太到底有没有权利提黛西的名字。

"黛西！黛西！黛西！"威尔逊太太喊道，"我想提就提！黛西！黛——"

汤姆·布坎南干脆利落地大手一挥，一巴掌把威尔逊太太的鼻子打破了。

接下来，浴室地板上满是沾血的毛巾，还有女人的责骂声，在一片混乱之上回荡的是拖长声调、断断续续的痛哭哀号。麦基先生从瞌睡中被吵醒，懵懵懂懂就往门口走。走到半路他回过头来呆呆地看着这场景——他太太和凯瑟琳一边骂一边哄，在拥挤的家具间跌跌撞撞地跑来跑去拿急救的用具，沙发上那个心碎的人儿血流不止，还想把一份《纽约闲话》铺在凡尔赛图案的织锦上。然后麦基先生转过身去，走出大门。我也从架上取下帽子，跟了出去。

"改天过来一起吃午餐吧。"我们坐着嘎吱作响的电梯下楼时，他提议道。

"去哪儿？"

"随便哪儿。"

"别碰电梯开关。"电梯工厉声道。

"抱歉，"麦基先生依然体面地说，"我不知道我碰到了。"

"好吧，"我表示同意，"我一定奉陪。"

……我站在麦基先生的床边，他坐在两层床单中间，穿着内衣内裤，手捧一本大相册。

"《美女与野兽》……《寂寞》……《杂货铺老马》……《布鲁克林大桥》……"

后来我半睡半醒地躺在宾夕法尼亚车站冰冷的下层候车室里，盯着早晨刚出的《论坛报》，等待凌晨四点的那班火车。

第三章

　　夏天的每个夜晚，我的邻居家都有音乐声传来。在他幽蓝的花园里，男男女女像飞蛾一般，在笑语、香槟和繁星间穿梭。下午涨潮时，我看到他的客人从木筏的高台上跳水，或者躺在海滩的热沙上晒太阳，而他的两艘小汽艇拖着滑水板，划破海湾的水面，在翻腾的浪花里向前驶去。到了周末，他的劳斯莱斯就成了公共汽车，从早晨九点到深更半夜不停地往返，接送城里的客人。而那辆旅行车也像一只敏捷的黄色甲壳虫疾驰着去火车站接所有的班次。每逢星期一，八个用人外加一个园丁，要用拖把、刷子、锤子、修枝剪辛苦干上一天，来收拾前一晚的残局。

　　每个星期五，都会有五箱橙子和柠檬从纽约的一家水果店送到这里；而到了星期一，这些水果变成稀烂的垃圾，被丢在他家后门，堆成一个金字塔。他的厨房里有一台机器，半个小时内能将两百多个橙子榨成果汁，只要管家用拇指在一个小键上按两百次就可以。

每两星期至少一次，大批承办宴席的人就会从城里赶来，带着几百尺帆布和足够的彩灯，把盖茨比家偌大的花园装点得像一棵圣诞树。自助餐桌上各式冷盘琳琅满目，五香火腿周围摆满了五花八门的色拉，还有烤得金黄的乳猪和火鸡。大厅里有一个用真正的铜杆搭起来的酒吧，备有各种杜松子酒、烈性酒和早被人们遗忘的甘露酒，来的大多数女客都太年轻，根本分不清这些酒的品种。

　　一到七点，管弦乐团就来了。不是那些五人小乐队，而是拥有双簧管、长号、萨克斯管、大提琴、小提琴、短号、短笛、高音鼓和低音鼓全套乐器的大乐团。最后一批游泳的客人已经从海滩上回来，正在楼上换衣服；纽约来的车五辆一排停在车道上；所有厅堂、客室和阳台都已经五彩斑斓，女客们的发型新奇各异，披的纱巾也是卡斯蒂利亚①人做梦都想不到的花色。酒吧那边热闹非凡，一盘盘鸡尾酒端到花园里，在客人中间左右盘旋。直到后来整个空气都活跃起来，充满了欢声笑语、随意的戏谑、转瞬即忘的寒暄，和素不相识的女人们热烈的交谈。

　　大地蹒跚着离开了太阳，盖茨比家的灯光显得益发明亮。管弦乐团演奏着温馨的鸡尾酒乐曲，众人那歌剧般的合声又提高了一个音调。笑声每分每秒都来得更加容易，一句玩笑话就会引发汹涌而至的哄堂大笑。人群的组合也在迅速变换，忽而随着新来的客人扩大，忽而分散又聚拢。有人开始四处游逛。自信的女孩在相对固定的人群中穿梭自如，成为受人瞩目的焦点，激起一阵欢乐而热烈

---

①西班牙的一个地区，以产纱巾而闻名。

的高潮，然后便带着胜利般的兴奋扬长而去。在不断变幻的灯光下，在如海水般此起彼落的面孔、声音和色彩中，处处是她们如燕的身影。

突然，这些像吉卜赛人的姑娘中，有一个满身珠光宝气的，抓过一杯鸡尾酒，壮了壮胆子一饮而尽，接着就像弗里斯科[1]一样挥舞着双手，独自在帆布舞池中跳起舞来。片刻的寂静之后，乐团指挥主动为她变换了节奏，人群中爆发出一阵唧唧喳喳的声音，因为有谣言传开，说她就是"齐格菲歌舞团[2]"里吉尔达·格雷的替角。晚会正式开始了。

我相信第一次去盖茨比家的那天晚上，我是少数几个确实受到邀请的客人之一。人们都没有被邀请——直接就往他家去了。他们坐上开往长岛的汽车，不知怎么就来到盖茨比家的门口。一旦到了那儿，只要有认识盖茨比的人引荐一下，他们就可以像在娱乐场合一样自行其是了。有时候他们从来到走根本就没见到盖茨比，仅凭着一颗真诚赴宴的心，便可充当入场券。

我确实是受到邀请的。那个星期六一大早，一个身穿浅蓝色制服的司机穿过我家草坪，替他的主人送来一张极其正式的请柬，上面说，如果我能参加当晚举办的"小型宴会"，盖茨比将不胜荣幸。他说他见过我几面，早就想登门拜访，却因种种原因未能如愿。末尾是杰伊·盖茨比庄重的签名。

七点刚过，我就身穿一套白色法兰绒便装去他家的草坪上赴宴。在一群素不相识的人中间闲逛，令我很不自在，尽管偶尔也有在通

---

①乔·弗里斯科（1850－1958），美国舞蹈演员。
②百老汇最大的歌舞团。

勤火车上见过的面孔。我马上注意到，客人中还有不少年轻的英国人，他们穿着考究，面带一点饥色，都在热切地跟殷实富有的美国人低声交谈着，一定是在推销什么，债券或者保险，要么是汽车。他们至少都很焦急，因为他们意识到，赚钱的机会近在咫尺，并且相信只要说几句恰到好处的话，钱就归他们了。

我一到那儿就开始寻找主人，但是问了两三个人，他们都大为惊讶地盯着我，表示完全不知道他的行踪。我只好偷偷溜向摆着鸡尾酒的桌子——只有在花园里的这个地方，一个单身男子才可以徘徊片刻，而不显得茫然和孤独。

我正想喝个酩酊大醉以摆脱这无聊的尴尬，乔丹·贝克从屋子里走出来，站在大理石台阶的最上层，身子微微向后仰，用轻蔑的神情俯视着花园。

无论人家欢不欢迎，我觉得有必要给自己找个伴，不然我就得跟路过的客人殷勤寒暄一番。

"你好啊！"我大喊一声，朝她走去。我的声音在花园里响得很不自然。

"我想你会在这里，"我走上前时，她心不在焉地答道，"我记得你就住在隔壁——"

她随意地握了握我的手，表示待会儿再来理会我，然后把耳朵凑过去听两个穿着一模一样黄色裙装的女孩聊天，她们刚在台阶下停住脚步。

"你好！"她们一起喊道，"真遗憾你没赢。"

她们说的是高尔夫球赛，上个星期她在决赛中输了。

"你不认识我们，"其中一个黄衣女孩说道，"但是一个月前我们在这儿见过你。"

"那之后你们把头发染了。"乔丹说。我大吃一惊，不过两个女孩已经漫不经心地走开，她这句话也就只能说给刚刚升起的月亮听了。毫无疑问，这样一句话与当夜的晚餐无异，都像从宴席承办者的篮子里随意拿出来的。我挽着乔丹那纤细的金黄色手臂，与她一道走下台阶，在花园里漫步。暮色中，一盘鸡尾酒飘然而至，我们找了个桌子坐下，同桌的还有那两个黄衣女孩和三个男人，每个人自我介绍的时候都含含糊糊，听得人一头雾水。

"你常来参加这些宴会吗？"乔丹问她身旁那个女孩。

"上一次来就是见到你的那一次。"女孩机灵而自信地答道。她转向她的同伴："你也是吧，露西尔？"

露西尔也一样。

"我喜欢来，"露西尔说，"我从来不在意做些什么，所以总能玩得很开心。上次来这儿的时候，我的礼服被椅子划破了，他就问我叫什么，住在哪儿。不出一个星期我就收到克罗里公司寄来的包裹；里面是一件全新的晚礼服。"

"你收下了吗？"乔丹问。

"当然收下了。我准备今晚穿的，可就是胸口有点大，得拿去改改。淡蓝色的面料上镶着浅紫色的珠子。两百六十五美元。"

"这样做事的人真有点意思，"另一个女孩热切地说，"他不想得罪任何人。"

"谁不想？"我问道。

"盖茨比啊，有人告诉我——"

两个女孩和乔丹神秘地凑到一起。

"有人告诉我，说他杀过一个人。"

我们全都激灵了一下。那三位不知姓甚名谁的先生也向前倾身，迫不及待地听下去。

"我觉得不太像是那样，"露西尔怀疑地争辩道，"他更像是战时的德国间谍。"

一位男士认同地点了点头。

"有个知道他底细的人这么跟我说的。他们一起在德国长大。"他确信地向我们透露。

"噢，不对，"第一个女孩说道，"不可能，因为打仗的时候他在美国当兵呢。"我们转而又信了她的话，她倾身向前，继续津津有味地说："你们趁他不注意的时候，看看他那样子。我敢打赌他杀过人。"

她眯起眼睛，哆嗦起来。露西尔也跟着打起哆嗦。我们都转过身，四处搜寻盖茨比的身影。尽管这些人都觉得世界上已没什么秘密可言，但是一谈起他却仍然窃窃私语，这足以证明他激起了人们多么浪漫的遐想。

第一顿晚餐（午夜后还有一顿）已经准备好了，乔丹邀我到花园另一边，跟她的那一圈朋友坐在同一张桌旁。那里一共有三对夫妇，还有乔丹的一个护花使者。这个顽固的大学生，说话喜欢含沙射影，并且显然在心底里认为乔丹迟早会委身于他。这桌人并没有到处交谈游走，反而正襟危坐，仿佛自己代表着举止庄重高贵的乡绅——他们东卵村人屈尊光临西卵村，小心翼翼地提防着，深怕陷入纸醉金迷的欢愉中。

"我们走吧，"这样无谓地耗掉了半个小时之后，乔丹小声对我说，"这儿对我来说太斯文了。"

我们两人起身，她的解释是我们要去找找主人。她说我从来没见过他，这让我感到不安。那位大学生点点头，一副有点怀疑又略带沮丧的样子。

我们先到酒吧那儿瞧了一下，人很多，但盖茨比不在。她从台阶上往下看，找不着他，阳台上也没有。我们偶然推开一扇看上去很庄重的门，来到了一个高高的哥特式图书室，四壁镶嵌着英国的雕花橡木，可能是从国外某处古迹整体运过来的。

一个粗壮的中年男人，戴着一副猫头鹰式的大眼镜，醉醺醺地坐在一张大桌子边上，恍恍惚惚地盯着架子上一排排书。我们一进门，他就兴奋地转过身来，上上下下打量了乔丹一番。

"你觉得如何？"他冒失地问。

"什么如何？"

他朝书架挥了挥手。

"那玩意儿。说实话你也不用劳神去确认了，我已经确认过。是真的。"

"书吗？"

他点点头。

"绝对是真的。一页一页的，什么都有。我还以为就是些好看耐用的书架呢。没想到都是实打实的真东西。一页一页，还有——

这儿！让我给你看看。"

他想当然地以为我们不相信，跑到书架边，拿出《斯托达德演说集》的第一卷。

"看见了吧！"他得意扬扬地喊道，"这可是真正的印刷品。把我给镇住了。这家伙简直是贝拉斯科①。太棒了。多么完美！多么逼真！而且很有分寸——没有裁开书页。你还想要什么？你还指望什么？"

他从我手中把书抢了回去，急急忙忙放回书架，嘟哝着说，少了一砖一瓦，整个图书室都会坍塌。

"谁带你们来的？"他问道，"还是说你们不请自来了？我是别人带来的，大多数人都是。"

乔丹机警而友好地看着他，并没有作答。

"一个姓罗斯福的女人带我来的，"他继续道，"克劳德·罗斯福太太。你认识她吗？昨天晚上我在什么地方遇见了她。我已经醉了有一个星期了，我想坐在图书室里或许能让我清醒清醒。"

"清醒了吗？"

"有一点吧，我觉得。还不太清楚。我刚来一个小时。我跟你们讲过这些书吗？都是真的。它们——"

"你说过了。"

我们一本正经地跟他握手，然后走出门外。

这时，有人在花园里铺着帆布的地板上跳起了舞。年老的男人们推着年轻女孩，不停地转圈，动作不甚优雅。气质出众的男女拥

---

①大卫·贝拉斯科（1854－1931），美国剧作家。

在一起，在角落里跳着变化多样的流行舞步。还有不少单身女孩在跳独舞，或者帮着管弦乐团弹弹班卓琴，敲敲打击乐器。到了午夜，这场狂欢更加热闹。一位著名的男高音用意大利语放声歌唱，一位声名不佳的女低音则演唱了爵士歌曲。其间，花园里各处人们都表演起自己的"绝技"，一阵阵欢乐而空洞的笑声响彻夏夜的天空。舞台上一对"双胞胎"——原来就是那两个黄衣女孩——换上行头表演了一出儿童剧。香槟频频而至，盛在一个个比洗手碗还要大的杯子里。月亮升得更高了，一个三角形天平样的银色星座飘浮在海湾上空，随着草坪上班卓琴尖锐的旋律轻轻颤动。

我还和乔丹·贝克在一起。跟我们同坐一桌的，是一个与我年纪相仿的男人和一个爱吵闹的年轻女孩，最微不足道的小事也会让她放声大笑。我开始自得其乐起来。喝了比洗手碗还大的两杯香槟，眼前的景象变得意味深长、本质自然而又高深奥妙。

在娱乐表演的间隙，一个男人看着我微笑起来。

"你看上去面熟，"他礼貌地说，"战争期间，你在第一师吗？"

"对，没错啊。我在步兵二十八连。"

"我在十六连，一直待到一九一八年六月。我就知道在哪儿见过你。"

我们聊了一会儿，谈到法国一些潮湿、灰暗的小村庄。他显然住在这附近，因为他告诉我他刚买了一架水上飞机，准备在早上试飞。

"想跟我一起去吗，old sport①？就在岸边沿着海湾转转。"

---

①老伙计，老朋友。这是盖茨比的一句口头禅，是典型的英式说法，相当于美式英语中的 my friend。盖茨比习惯用这个词显示自己在牛津待过，以充当上流人士。

"什么时候？"

"看你方便。"

我正要问他的名字，乔丹转过身来，冲我笑笑。

"现在玩得开心了吧？"她问道。

"开心多了。"我又掉过头去跟新认识的朋友说："这场宴会对我来说很不寻常。我都还没见过主人。我住在那边——"我朝远方那道看不见的篱笆指了指，"这位盖茨比先生派他的司机给我送来了一张请束。"

他看了我片刻，似乎并不明白我的意思。

"我就是盖茨比。"他突然说。

"什么！"我喊道，"哦，失敬失敬。"

"我以为你认识我，old sport。恐怕我不是一个好主人。"

他报以会意的一笑——不仅仅是会意。这是一种罕见的笑容，给人无比放心的感觉，或许你一辈子只能遇上四五次。刹那间这微笑面对着——或者似乎面对着整个永恒的世界，然后它凝聚在你身上，对你表现出不可抗拒的偏爱。它了解你，恰如你希望被了解的程度；它信任你，如同你愿意信任自己一样；它让你放心，你留给它的印象正是你状态最好的时候希望留给别人的印象。就在这一瞬间，笑容消失了，我所看到的是一个举止优雅的壮年男子，三十一二岁的模样，说起话来文绉绉得近乎滑稽。在他作自我介绍之前，我就强烈地感觉到，他正斟词酌句，挑选措辞。

正当盖茨比先生要介绍自己身份的时候，一个男管家急匆匆地跑来，告诉他芝加哥那边有人来电。他逐一向我们微微鞠躬告辞。

"有什么需要的话尽管开口，old sport，"他恳切地对我说，"抱歉，我稍后再过来。"

他刚走，我就马上转向乔丹——急不可待地想告诉她我的惊讶。我以为盖茨比先生是一个油光满面、中年发福的男人。

"他是什么人？"我问道，"你知道吗？"

"他就是一个叫盖茨比的男人。"

"我是说，他从哪儿来？是干什么的？"

"现在你也研究起这个问题来了，"她露出了厌倦的笑容，"嗯，他有一次告诉我他上过牛津大学。"

在他身后一个模糊的背景渐渐成形，但她的下一句话又让这景象消失了。

"不过，我不信。"

"为什么？"

"我不知道，"她坚持道，"我就是不相信他上过牛津。"

她的语调让我想起了另外那个女孩说的"我敢打赌他杀过人"，都一样激起了我的好奇心。如果说盖茨比来自路易斯安那州的沼泽地区，或者是纽约东城的贫民窟，我都会毫无疑问地相信。那是可以理解的。但是，年轻人不可能——至少依我这个没见过世面的人来看，不可能这么酷，突然从哪儿飘然而至，在长岛海湾买一座宫殿式的别墅。

"不管怎么说，人家举办大型晚宴呢。"乔丹转移了话题。跟许多城里人一样，她对细节没有兴趣，"我喜欢大型晚宴，大家亲亲热热。小聚会里没什么个人空间。"

低音鼓轰隆隆一阵响，乐团指挥的声音突然响起，压过了花园上空的嘈杂。

"女士们先生们，"他大声喊道，"应盖茨比先生的要求，我们将为各位演奏弗拉基米尔·托斯托夫先生的最新作品。今年五月，这部作品在卡内基音乐厅引起了极大关注。各位如果看报，便会知道当时的盛况！"他带着欢快而居高临下的神情微笑着，又说道，"盛况空前！"引得众人笑了起来。

"这首乐曲，"他最后用洪亮的声音说，"名为'弗拉基米尔·托斯托夫的爵士音乐世界史'。"

我没有专心听托斯托夫的乐曲，因为演奏一开始，我就注意到了盖茨比，他一个人站在大理石台阶上，用赞许的目光看着一群又一群人。他脸颊的皮肤黝黑而紧致，富有魅力，短短的头发像是每天都修剪一样。我从他身上看不出什么险恶的迹象。我在想是不是他不喝酒，所以才与客人们有所不同，因为在我看来众人愈是纵情喧闹，他反倒愈加庄重沉稳。《爵士音乐世界史》演奏完毕，有的女孩像小狗一样美滋滋地把头靠在男人肩膀上，有的女孩嬉闹地向后仰倒在男人怀里，甚至倒进人群中，知道有人会把她们接住——但是没有人倒在盖茨比的怀里，也没有女孩的法式短发碰到他的肩膀，更没有四人合唱团邀请他加入。

"打扰一下。"

盖茨比的男管家突然出现在我们身旁。

"贝克小姐？"他问道，"抱歉，盖茨比先生想跟你单独谈一会儿。"

"跟我？"她惊讶地喊道。

"是的，小姐。"

她慢慢地站起来，扬起眉毛诧异地看了看我，然后跟着男管家走向屋里。我注意到她穿着晚礼服，但她穿什么衣服都跟运动装一样。她步态轻盈，仿佛是在早晨空气清新的高尔夫球场上学会走路的。

留下我独自一人，已经快两点了。有好一阵，阳台上一个有很多窗户的长房间里传出混乱而令人好奇的声音。陪乔丹来的那位大学生正跟两个合唱团的女孩谈论助产术，他想让我加入，但我走进了屋子里。

长房间里有很多人。其中一个黄衣女孩在弹钢琴，一位个子高高的红发女郎站在她旁边演唱。这位来自著名合唱团的歌手一定喝了不少香槟，所以在演唱中不合时宜地把一切看得伤感悲凉——她一边歌唱，一边啜泣。一旦乐曲中有停顿，她就用抽噎和断断续续的哭泣声来填补，然后再用颤抖的女高音唱下去。泪水流过她的脸颊——不过流得并不顺畅，因为一碰到她画得浓浓的眼睫毛，泪水就变成了墨水的颜色，像黑色的小溪一样慢慢地往下淌。有人开玩笑，建议她把脸上的音符唱出来，听到这话她两手一甩，重重地倒在椅子上，然后醉醺醺地沉沉睡去。

"她跟一个自称是她丈夫的人打了一架。"我身旁的一个女

我环视四周。其余的大部分女人都在跟自称是她们架。即使是乔丹他们从东卵村来的那四对，也由散了。其中一个男人正饶有兴致地跟一位

子起初试图保持尊严，摆出漠然的样子一笑了之，但到后来彻底爆发，采取了侧面攻击——时不时突然出现在他旁边，像一条被惹怒的毒蛇冲他耳边发出嘶嘶的声音："你答应过的！"

不愿意回家的不只是任性放纵的男人。此刻大厅里还有两个全无醉意的可悲男人和他们怒不可遏的太太。两位太太稍稍提高了嗓门，互相表示同情。

"每次他一看见我正玩得高兴，就想要回家。"

"这辈子就没听说过像他这么自私的。"

"我们经常是最早离开的人。"

"我们也是。"

"唉，今晚几乎是最后走的了，"其中一个男人怯生生地说，"乐团半个小时之前就撤了。"

尽管两位妻子都觉得这种用心险恶的话简直难以置信，但争吵还是在短暂的挣扎中结束了。两位先生各自将胡打乱踢的妻子抱了起来，消失在夜色中。

我正在大厅里等着侍者取回我的帽子，图书室的门打开了，乔丹·贝克和盖茨比一起走出来。他正跟她说着最后一句话，但当几个人走过来跟他道别时，他脸上热切的表情突然收敛，变得严肃起来。

乔丹的同伴不耐烦地招呼她，不过她还是逗留了片刻，跟我握手道别。

"我刚听到一件最惊人的事，"她小声地说，"我在里面待了

"这个……就是很不可思议。"她笼统地重复道,"但我发过誓不跟别人说,现在又来吊你胃口了。"她当着我的面优雅地打了个哈欠,"请来看我……电话号码簿……西戈尼·霍华德太太的名下……我的姨妈……"她边说边匆匆离开——愉快地挥了挥晒得棕黑的手以示告别,接着便融入了门口那拨人中。

第一次来就待到这么晚,我很不好意思。我走进拥在盖茨比周围的最后一群客人中,想向他解释宴会刚开始我就一直在找他,还想为在花园里没有认出他来而道歉。

"没关系,"他恳切地安慰我,"别再想它了,old sport。"这个称呼如此亲切,那轻轻拍着我肩膀、让我放心的手也同样亲切。"别忘了明天早上九点,我们一起试驾水上飞机。"

这时候,管家在他身后说:"费城有人来电话,先生。"

"好的,马上。告诉他们我就来……晚安。"

"晚安。"

"晚安。"他微微一笑。突然之间我发觉,待到最后才走似乎成了一件愉快而有意义的事,似乎他也一直希望如此。"晚安,old sport……晚安。"

但是我走下台阶的时候,才发现晚会并没有真正结束。离大门五十英尺的地方,十几盏车前灯照亮了一个怪异混乱的场面。一辆崭新的小轿车右侧向上横躺在路边的水沟里,一只车轮被猛烈地撞掉了。这辆车开出盖茨比家的车道还不到两分钟。撞掉车轮的是墙上的一块突起,五六个好奇的司机正围在那里查看。可是他们的车挡住了路,后面的司机不停地按喇叭,传来一阵尖锐刺耳的噪音,使本已混乱的场面变得更加不堪。

一个穿着风衣的男人从撞坏的车里跟跄地走出来，站在路中央，看看车子，又看看车轮，再看看周围的旁观者，一脸和颜悦色又迷惑不解的样子。

"看！"他解释道，"车跑到沟里去了。"

这个事实让他惊诧不已。我先是听出这种惊讶不同寻常，然后认出了这个人——就是之前光顾盖茨比图书室的那位。

"这是怎么回事？"

他耸耸肩。

"机械的东西我一窍不通。"他断然说道。

"可这是怎么发生的？你撞到墙上去了吗？"

"别问我。"猫头鹰眼男人说着，极力撇清和这件事的关系，"我不太会开车，几乎一无所知。就这么发生了，我只知道这些。"

"那么，既然你不太会开车，就不应该试着晚上开。"

"我根本没试，"他愤怒地解释道，"我根本没试。"

四周一阵愕然的寂静。

"你想自杀吗？"

"幸亏只是撞掉了一个轮子！不太会开，还连试都不试！"

"你们不明白，"这个"肇事"的人解释道，"不是我开的。车里还有一个人。"

这句话引起的震惊令人们发出一阵"啊——"的长叹，这时小轿车的门慢慢打开了。人群——现在已经聚了一群人——不由得向后退，车门敞开，顷刻间一片死寂。然后，慢慢地，一个苍白而摇晃的身影一点一点跨出被毁的车子，一只大舞鞋试探地踩在地面上。

这个幽灵般的家伙被车前灯晃得睁不开眼，又被此起彼伏的喇叭声吵得晕头转向，他站在那里摇晃了一会儿，才认出那个穿着风衣的人。

"怎么了？"他平静地问，"咱们的车没油了吗？"

"看啊！"

六七根手指指向被撞掉的车轮。他盯着看了片刻，然后抬头往上瞅，好像怀疑这轮子是从天上掉下来的。

"车轮掉了。"有人解释道。

他点点头。

"刚开始我还没发觉车停下来了。"

停顿了一下后，他深吸一口气，直起身板，用坚定的语气说："可以告诉我哪里有加油站吗？"

至少有十来个人（其中有几个比他稍微清醒点）向他解释，轮子跟汽车已经分离了。

"倒车，"过了一会儿，他提议，"把车子正过来。"

"可是轮子掉啦！"

他犹豫了一下。

"试试也没关系吧。"

汽车喇叭的尖叫声达到了高潮，我转身穿过草坪回家去了。我回头张望过一次。一轮圆月照在盖茨比的别墅上，夜晚同以往一样美好，花园也依旧灯光璀璨，欢声笑语却已经消散。一股突如其来的空虚仿佛从窗户和硕大的门里涌了出来，让主人站在门廊上的身影显得茕茕孑立，他正挥动手臂做出正式告别的姿态。

重读我写的这些文字，我觉得可能给人这样的印象——几星期里相隔的三个晚上发生的这些事情，令我完全沉浸其中。其实不然，它们只是一个繁忙的夏天里几件偶然的小事，过了很久之后，我对它们还远远不及对自己的私事那么关心。

大部分时间我都在工作。每天早晨，我匆匆沿着纽约南部摩天大楼间的白色缝隙赶到正诚信托公司去上班，太阳照在我身上留下向西的影子。我跟其他职员和年轻的债券推销员打成一片，一起在阴暗拥挤的食堂里吃午餐，小猪肉香肠加土豆泥，还有咖啡。我甚至跟一个会计部的女孩有过短暂的恋情，她家住在泽西城。不过她哥哥对我一副鄙夷的神色，所以趁她七月份去度假，我就无声无息地和她告吹了。

我一般在耶鲁俱乐部吃晚餐。不知道为什么，这是一天中最令我沮丧的事情。然后我就上楼去图书馆，认真地研究一个小时投资和证券。我周围通常会有几个吵闹的人，但他们从来不进图书馆，所以这里是个工作的好地方。之后，如果夜色宜人，我就沿着麦迪逊大道散步，经过那座古老的默里山餐厅，再走过三十三号街，来到宾夕法尼亚车站。

我开始喜欢纽约了，喜欢夜晚那种奔放冒险的情调，喜欢川流不息的男男女女，喜欢车水马龙让双眼应接不暇的感觉。我喜欢走在第五大道上，从人群中挑出风情万种的女人，想象着几分钟之内我便进入她们的生活，而且不为人知，也没有人反对。有时候，我会设想自己跟随她们回到位于隐秘街角的公寓。她们回过头来冲我一笑，然后走进门里，消失在温暖的黑暗中。在都市撩人的暮色里，我有时会感到一种难以排遣的寂寞。在别人身上，我也发现了同样的情形。那些可怜的年轻职员，在橱窗前徘徊游逛，直等到独自一人去餐厅吃顿晚餐。黄昏里的他们，如此虚度着夜晚和一生中最令人心碎的时光。

又到了晚上八点，四十几号街那阴暗的街巷里，五辆一排的出租车发动引擎，准备向剧院驶去。我的内心一阵失落。出租车里等待的人们依偎在一起，说话的声音飘扬出来，悄悄的笑话引起一片欢笑，点燃的香烟在车里升起一团团浑浊的烟圈。我幻想着自己也在匆匆赶去寻欢作乐，分享着他们内心的亲密和兴奋，于是不由地为他们祝福。

我有好一阵没看见乔丹·贝克，在盛夏时节又找到了她。起初陪她四处去令我备感荣幸，因为人人都知道她这个高尔夫球冠军。但后来我发现不止于此。虽然没有真正爱上她，可我对她怀有一种温柔的好奇。她向世人摆出的那副厌倦而高傲的姿态似乎隐藏着什么——大多数惺惺作态最终都会隐藏些什么，即使起初并非如此。然后有一天，我找到了答案。当时我们一同去沃威克参加一次家庭聚会，她把借来的车不拉车篷就停在雨里，然后撒了个谎。我突然想起那晚在黛西家没有回忆起来的关于她的事。她第一次参加大型高尔夫球锦标赛的时候，就闹出一桩差点登报的事情。有人说半决赛时她挪动了一个处在不利位置上的球。这件事几乎成为丑闻，不过后来平息了。一个球童收回了他的话，仅剩的另一名见证人也承认或许是他搞错了。这段插曲和她的名字却留在了我的脑海里。

乔丹·贝克本能地避开聪明敏锐的男人，现在我知道，这是因为她觉得在循规蹈矩的环境里比较安全。她不诚实到无可救药的地步。她无法忍受自己处于不利的位置，这种好胜心让我想到她从很小的时候就开始耍各种花招，以保持对世人那副冷漠傲慢的微笑，同时满足她那结实矫健的身体的需要。

我对此倒并无所谓。女人的不诚实，你往往不会去深究——我只是稍有点遗憾，过后就忘了。也是在那次家庭聚会上，我们对于开车有过一段有趣的对谈。起因是她开车从几个工人身旁擦过去，挡泥板蹭着了一个工人上衣的纽扣。

"你车开得太差劲了。"我抗议道，"要么小心一点，要么就干脆别开。"

"我很小心。"

"你根本没有。"

"好吧，反正别人会小心的。"她轻松地说。

"这跟你开车有什么关系？"

"他们会避开我的。"她坚持道，"两个都不小心的人才会出车祸。"

"万一你遇到跟你一样粗心的呢？"

"但愿我永远不会。"她答道，"我讨厌粗心的人。所以我喜欢你。"

她那双灰色的眼睛被太阳照得眯了起来，直直地盯着前方，但是她已经故意改变了我们两个人的关系，所以片刻之间我以为我是爱她的。可我是个反应迟钝的人，而且满脑子的清规戒律也为我的欲望刹了车。我知道，我首先要从家乡那段纠结的感情中完全解脱出来。我每星期写一封信回去，末尾署上"爱你的，尼克"，可我能想到的就是那个女孩打网球的时候，上唇会渗出胡须一般细细的汗珠。不过，我们之前确实有些没有明说的默契，我得将它们巧妙地化解掉，才能获得自由。

每个人都觉得自己至少有一项基本美德，而我的美德便是诚实。我认识的诚实的人并不多，我就是其中一个。

第四章

　　星期天早上，当教堂的钟声响彻沿岸村镇的时候，这个世界里的男男女女又回到盖茨比的别墅，在他的草坪上纵情欢笑。

　　"他是个贩卖私酒的。"年轻的女士们一边闲聊，一边在他的鸡尾酒和鲜花丛中来回走动。"有一次他杀了一个人，因为那人发现他是兴登堡①的侄子，魔鬼的表兄弟。给我一枝玫瑰，亲爱的，再往我那水晶杯子里倒一点儿酒。"

　　有一次我在一张时刻表上的空白处写下那年夏天到过盖茨比家的客人名字。现在那张表已经很旧，折叠处快要裂开了，表头上印着"本表一九二二年七月五日生效"。不过我还是能够看清那些退色的名字，它们比我笼统的描述更能给人鲜明的印象，让你知道都是谁接受了盖茨比的款待，并报以微妙的回敬——自始至终对他一

---

①保罗·冯·兴登堡（1847－1934），德国元帅，一战期间任德军总司令。

无所知。

从东卵村来的有切斯特·贝克夫妇和利奇夫妇，还有一个叫本森的男人，我是在耶鲁的时候认识他的。另外有韦伯斯特·西维特医生，他去年夏天在缅因州溺水而死。还有霍尔比姆夫妇、威利·伏尔泰夫妇，和布莱克巴克一大家人，他们总是聚在一个角落里，不管谁走近，他们都会像山羊一样翘起鼻子。此外还有伊斯梅夫妇、克里斯蒂夫妇（或者说是休伯特·奥尔巴克先生和克里斯蒂太太），和埃德加·比弗，据说有一个冬天他的头发无缘无故变得像棉花一样白。

我记得克拉伦斯·恩迪是从东卵村来的。他只来过一次，穿着一条白色的灯笼裤，在花园里跟一个叫埃蒂的小流氓打了一架。从岛上更远的地方来的有钱德勒夫妇和O.R.P.施罗德夫妇，佐治亚州的斯通瓦尔·杰克逊·艾布拉姆夫妇，还有费什加德夫妇和里普利·斯内尔夫妇。斯内尔在入狱前三天还来过，他喝得烂醉躺在石子车道上，尤利西斯·斯韦特太太的汽车从他右手上碾了过去。丹西夫妇也来了，还有年近七十的S.B.怀特贝特，以及莫里斯·A.弗林克、汉姆海德夫妇、烟草进口商贝鲁加和他的女儿们。

从西卵村来的有波尔夫妇、马尔雷迪夫妇、塞西尔·罗巴克、塞西尔·舍恩、州议员古利克和掌握着卓越影片公司的牛顿·奥基德。埃克豪斯特、克莱德·科恩、小唐·S.施瓦兹和阿瑟·麦卡蒂，都与电影界有这样或那样的联系。还有卡特里普夫妇、班姆堡夫妇和G.厄尔·马尔东，就是后来掐死自己妻子的马尔东的兄弟。投资商达·方丹来过这里，还有爱德·勒格罗、詹姆斯·B.费里特（绰号"劣酒"）、德·琼夫妇和厄内斯特·利利——他们是来赌钱的。费里特漫步走进花园的时候，就意味着他已经输光了，第二天联合运输公司的股票又会跌涨一番。

一个叫克里普斯普林格的男人是那里的常客，待的时间又长，所以大家都叫他"房客"——我怀疑他是不是没有别的家。至于戏剧界人士，来的有格斯·维兹、霍勒斯·奥多诺万、莱斯特·梅尔、乔治·德克韦德和弗朗西斯·布尔。从纽约来的还有克罗姆夫妇、贝克海森夫妇、丹尼克夫妇、拉塞尔·贝蒂、克里根夫妇、凯利赫夫妇、迪尤尔夫妇、斯卡利夫妇、S. W. 贝尔彻、斯默克夫妇、现在已经离婚的年轻的奎因夫妇，还有亨利·L. 帕默多，他后来在时代广场跳下地铁自尽了。

本尼·麦克莱纳汉总是带着四个女孩来。每次来的都不一样，但因为实在长得太像，所以看起来好像都来过似的。我不记得她们的名字了——乔奎因，我想应该是，要不然就是孔苏埃洛，或者格洛丽亚，或者朱迪，或者琼。她们的姓要么是好听的花名或月份名，要么是令人肃然起敬的美国大资本家的姓氏，如果你追问，她们会承认自己正是这些资本家的远亲。

除了这些人之外，我还记得福斯蒂娜·奥布莱恩来过至少一次，还有贝达克姐妹和年轻的布鲁尔，他的鼻子在战争中被枪打掉了。另外有阿尔布鲁克斯堡先生和他的未婚妻海格小姐、阿迪泰·费兹－彼得夫妇和曾经当过美国退伍军人协会主席的 P. 朱厄特先生，以及克劳迪娅·西普小姐和一个据说是她司机的男伴，还有一位某个地方的亲王，我们叫他公爵，如果我曾经知道他的名字，现在也忘掉了。

以上这些人，那年夏天都来过盖茨比的家。

七月末的一天早上九点，盖茨比的豪华轿车沿着石子车道一路颠簸到了我家门口，然后三个音符的喇叭发出一阵悦耳的声响。这是他第一次来看我，尽管我已经参加过两次他的宴会，乘坐过他的水上飞机，而且在他的盛情邀请下时常去他家海滩上玩。

"早上好，old sport。今天你要跟我共进午餐，我想我们就一起坐车进城吧。"

他站在汽车的挡泥板上保持着平衡，表现出美国人特有的灵活敏捷。我想这是由于年轻时不干重活的缘故，更有可能是因为我们那些紧张剧烈的运动练就了一种自然的优雅。这种特质很不安分，时不时打破他谨小慎微的姿态。他一刻都不安静，总是用脚轻轻打拍子，要么就是手不耐烦地握拳又张开。

他看见我羡慕地瞧着他的车。

"很漂亮，是吧，old sport？"他跳下来，让我看得更清楚一点，"你以前没见过吗？"

我见过。人人都见过。车子是浓郁的奶油色，镀镍的地方闪闪发亮，奇长的车身上有好几处突起，是内设的放帽子、晚餐和工具的暗箱，设计很巧妙。前前后后、层层叠叠的挡风玻璃映射出十几个太阳。我们坐在层层玻璃后面绿色皮革装饰的车厢里，向城中驶去。

过去一个月里，我跟他交谈过五六次。让我失望的是，我发现他的话很少。因此，以为他是某个重要人物的第一印象已渐渐消退，我只把他当成隔壁一家豪华餐厅的老板而已。

然后就是那次让我心绪不宁的同行。我们还没到西卵村，盖茨比就把说了半截的文绉绉的话打住，犹豫不决地拍打着他淡褐色套装的膝盖处。

"我说，old sport，"他出人意料地脱口而出，"说说你对我是什么看法？"

我有点不知所措，只好泛泛而谈应付一下。

"好吧，我来给你讲讲我的身世。"他打断了我，"我不想让你听信那些传言，对我产生误解。"

原来在他家客厅里为人们增添乐趣的那些流言飞语，他全都知晓。

"上帝作证，我要告诉你实情。"他突然举起右手，随时准备接受上天的惩罚，"我是中西部一个富裕人家的儿子——家人都去世了。我在美国长大，但是在牛津上的学，因为很多年来我的先人都是在那儿接受教育的。这是家族传统。"

他斜着眼朝我看看——我这才明白乔丹·贝克为什么会觉得他撒谎。"在牛津上的学"这句话他说得很快，含混带过，口齿不清，似乎这个说法曾经困扰过他。有了这个疑点，他的整个一番话就经不住推敲了，所以我怀疑他是不是终究有些不可告人的事情。

"中西部什么地方？"我漫不经心地问道。

"旧金山。"

"哦，知道了。"

"我家人都不在世了，所以我继承了很多钱。"

他的声音很肃穆，仿佛全部家人突然离世的记忆仍然萦绕在他脑海中。有一会儿我怀疑他在耍弄我，但我瞟了他一眼，发现不是那么回事。

"后来我就生活得像个年轻的王侯一样，到巴黎、威尼斯、罗马，欧洲各国的首都收集珠宝，主要是红宝石；捕猎一些大个儿的动物；画点东西。一切纯粹是为了自己消遣，试图忘记很久以前发生的那些伤心事。"

我极力克制着，没有因为怀疑而笑出来。他的措辞很是陈腐，我脑海里只能出现这样的画面：一个包着头巾的"角色"，在布伦园林①里追着一只老虎，身体里塞的木屑不住地往外漏。

"后来就打仗了，old sport。这倒是个解脱的大好机会，我想尽办法去死，但我命中好像有老天保佑一样。战争开始的时候，我被任命为中尉。在阿尔贡森林的战役里，我带领机枪连的残余部队向前挺进，结果长达半英里的两翼都没有掩护，因为步兵无法跟上来。我们在那儿待了两天两夜，一百三十个人，十六挺刘易斯式机枪。等到步兵终于赶来，他们在堆积如山的尸体中发现了三个德国师的徽章。我被提拔为少校，每个同盟国政府都颁发给我一枚勋章——甚至包括蒙特内格罗，亚得里亚海边那个小小的蒙特内格罗王国！"

小小的蒙特内格罗王国！他说这个词的时候提高了音量，并且微笑地点点头。这微笑意味着他了解蒙特内格罗那艰难的历史，同情蒙特内格罗人民的英勇斗争。这微笑也表示他充分理解这个民族

---

①法国巴黎郊外的一个公园。

的一连串处境，正是这处境让它从温热的小小内心向他发出如此敬意。我的怀疑此刻已被惊讶淹没，就像在迅速翻阅十几本杂志一样。

他把手伸进口袋，然后，一枚系着缎带的金属徽章落在我的手掌上。

"这就是蒙特内格罗那一枚。"

令我诧异的是，这东西看上去像真的一样。"丹尼罗勋章"，上面刻着一圈铭文，"蒙特内格罗国王，尼古拉斯·莱克斯"。

"翻过来。"

"杰伊·盖茨比少校，"我念道，"英勇无双。"

"我还有一样东西经常随身带着。牛津时代的纪念物，是在三一学院照的，我左边那位现在是唐卡斯特伯爵。"

照片上有六个年轻人，穿着运动夹克，在拱门下悠闲地站着，越过拱门可以望见许多塔尖。盖茨比也在其中，比现在略微年轻一点，但并不明显，他手里拿着一根板球棒。

这么说，这些都是真的。我仿佛看见他在威尼斯大运河旁的豪宅，一张张虎皮挂在墙上光彩炫目；我仿佛看见他打开一箱红宝石，用它们耀眼的绯红光芒来治愈他那颗破碎而痛苦的心。

"我今天要请你帮个大忙。"他说着，心满意足地把纪念物放回口袋，"所以我认为你应该对我有些了解。我不想让你觉得我是个无名小辈。你知道，我常常置身于陌生人中，因为我想四处游荡，以忘掉那些伤心事。"他犹豫了一下，"今天下午你会知道的。"

"午餐的时候？"

"不，是下午。我碰巧知道你要约贝克小姐喝茶。"

"你是说你爱上贝克小姐了？"

"不是的，old sport，我没有。不过好心的贝克小姐同意跟你谈谈这件事。"

我压根不知道"这件事"指的是什么，不过我没什么兴趣，倒是觉得厌烦。我约乔丹喝茶不是为了谈论杰伊·盖茨比先生的。我敢肯定他的求助完全是不切实际的幻想，有一会儿我很后悔不该踏上他那人满为患的草坪。

他没有再说什么。离城里越近，他就越严肃起来。我们经过罗斯福港，瞥见一艘涂了一圈红漆的远洋轮船。然后我们沿着贫民窟的一条石子路疾驰而去，两旁排列着阴暗却仍有人光顾的酒馆，是二十世纪退色的镀金时代的产物。然后，灰烬之谷在我们两旁伸展开来，我从车上瞥见威尔逊太太正在加油泵旁气喘吁吁地干活，散发着活力。

汽车飞驰起来，挡泥板像张开的双翅一样，我们为半个阿斯托里亚街区带来光芒——只是半个，因为当我们在高架铁路的支柱中间穿行时，我听见一辆摩托车发出熟悉的"突——突——噼啪"声，接着看到一个气急败坏的警察行驶在我们车旁。

"好啦，old sport。"盖茨比说道。我们放慢速度。他从钱包里拿出一张白色卡片，在那个人眼前晃了晃。

"好吧，"警察满口应承，轻碰帽檐以示歉意，"下次认识您了，盖茨比先生。请原谅我！"

"那是什么？"我问道，"牛津的照片？"

"我帮过警察局长一次忙，他每年都给我寄一张圣诞贺卡。"

大桥之上，阳光透过钢架照得川流不息的车辆闪闪发光，河对岸的城市高楼耸立，但愿这些如糖块般堆积的白色建筑是用没有铜臭味的钱建造的。从皇后区大桥远眺，纽约城永远像初次出现在眼前，那第一次的惊艳蕴含着世上所有的神秘与瑰丽。

　　一辆装着死人的灵车从我们身边经过，车上堆满鲜花，后面跟着两辆拉着窗帘的马车，还有几辆亲友搭乘的车，气氛略为轻松些。死者的亲友朝车外望着我们，从那忧郁的神情和薄薄的上唇可以看出他们来自东南欧。我很欣慰在他们肃穆的送葬车队里还能看见盖茨比的豪华轿车。经过布莱克威尔岛的时候，一辆高级轿车从我们身旁经过，司机是个白人，车里坐了三个时髦的黑人，两男一女。他们冲我们翻了翻白眼，一副想要比试一番的傲慢神情，惹得我哈哈大笑起来。

　　"过了这座桥，什么事情都有可能发生，"我想，"什么事都有可能……"

　　连盖茨比这样的人物也会出现，不必大惊小怪。

　　炎热的中午，我和盖茨比相约在四十二号街一家电扇大开的地下餐厅共进午餐。我眨眨眼，让外面街道上的光芒从眼前散去，然后模模糊糊地在休息室里认出了他，他正跟另一个人说话。

　　"卡拉韦先生，这是我的朋友沃尔夫山姆先生。"

　　一个鼻子扁扁的矮个子犹太人抬起大脑袋打量着我，他的鼻孔里长着两撮浓密的毛。过了一会儿，我才在半明半暗的光线中发现了他的两只小眼睛。

"……所以我瞅了他一眼，"沃尔夫山姆先生说着，热切地跟我握了握手，"你猜我做了什么？"

"什么？"我礼貌地问道。

不过很明显他不是在跟我说话，因为他松开我的手，将他那表情丰富的鼻子朝向盖茨比。

"我把那笔钱给了凯兹堡，我说：'好吧，凯兹堡，他要是不住嘴，你一分钱也别给他。'他立刻就闭嘴了。"

盖茨比挽住我们两人的胳膊，朝餐厅走去。于是沃尔夫山姆先生咽下了刚想说的一句话，坠入梦游般的状态中。

"要苏打水威士忌吗？"领班的侍者问。

"这家餐馆不错，"沃尔夫山姆先生边说边抬头看着天花板上的长老会美女，"不过我更喜欢马路对面那家！"

"好，来几杯苏打水威士忌。"盖茨比应道，然后对沃尔夫山姆说："那儿太热了。"

"又热又小——没错，"沃尔夫山姆先生答道，"不过充满了回忆。"

"是哪家餐厅呢？"我问。

"老大都会。"

"老大都会，"沃尔夫山姆先生忧郁地沉思着，"曾聚集过多少已经消逝的面容，多少已不在身边的朋友。我一辈子都不能忘记他们开枪打死罗西·罗森塔尔的那个晚上。我们六个人围坐一桌，罗西整个晚上都在大吃大喝。天快亮的时候，侍者表情怪异地走到他跟前，说外面有人想跟他说话。'好吧。'罗西说着站起身，我把他拉回椅子上。

"'要是那些浑蛋想找你，就让他们进来，罗西，但是你，拜托，千万不要离开这屋子。'

"那是早上四点，如果我们把窗帘拉开，就会看到天亮了。"

"他去了吗？"我天真地问。

"当然去了。"沃尔夫山姆先生愤怒地朝我掀了下鼻子，"他在门口转过身说：'别让那侍者把我的咖啡撤走了！'然后他走到人行道上，他们冲他吃饱的肚子开了三枪，开车跑掉了。"

"其中四个坐了电椅。"我想起来，说道。

"五个，包括贝克。"他鼻孔转向我，一副饶有兴致的样子，"我听说你想找关系做生意。"

这两句话连起来让我吃了一惊。盖茨比替我作了答：

"哦，不是，"他大声说，"这不是那个人。"

"不是吗？"沃尔夫山姆有些失望。

"这只是个朋友。我告诉过你，我们另找时间谈那件事。"

"对不起，"沃尔夫山姆说，"我搞错人了。"

一盘美味的肉丁土豆泥端了上来，沃尔夫山姆忘了老大都会那令人伤感的回忆，开始津津有味地大吃起来。同时他的眼睛还在慢慢转动，环视着餐厅——甚至转过身打量坐在我们正后方的客人，让视线完成一个弧圈。我想，要不是我在场，他或许还会往我们桌子下面瞧上一眼。

"听我说，old sport，"盖茨比向我凑过身来，"今天早上在车里我恐怕惹你不高兴了吧。"

他脸上又出现了那种微笑，不过这一次对我不起作用。

"我不喜欢神秘兮兮的。"我答道，"我不明白你为什么不能坦诚一点，告诉我你到底想要什么。为什么都要通过贝克小姐？"

"噢，不是什么见不得人的事。"他向我保证，"贝克小姐是个了不起的运动员，你知道，她从来不会做不正当的事。"

突然，他看了一眼手表，跳起来匆匆离开餐厅，把我和沃尔夫山姆留在了桌边。

"他得打个电话。"沃尔夫山姆说，目送着他离开，"多好的人，是不是？英俊潇洒，完美的绅士。"

"对。"

"他是个扭津①人。"

"哦！"

"他在英国上过扭津大学。你知道扭津大学吧？"

"我听说过。"

"那是全世界最著名的大学之一。"

"你认识盖茨比很久了吗？"我问道。

"有几年了。"他心满意足地回答，"战争刚刚结束，我就有幸认识了他。但是跟他聊了一个小时之后，我才发现他是个很有教养的人。我对自己说：'他是那种你想带回家介绍给妈妈和姐姐的人。'"他停顿了一下，"我瞧见你在看我的袖扣。"

我本来没看，现在反倒注意了。它们的象牙材质看上去眼熟得

---

①原文为"Oggsford"，是"Oxford"（牛津）的讹读。

奇怪。

"是用最好的真人臼齿打磨成的。"他告诉我。

"哟！"我打量着它们，"这创意很不错啊。"

"是啊。"他把衬衣的袖子缩进外衣里，"没错，盖茨比对女人还是很规矩的。朋友的太太他从来不会多看一眼。"

这时候，这位在直觉上让人信任的对象回到餐桌旁坐了下来，沃尔夫山姆先生一口喝掉他的咖啡，站起身来。

"午餐吃得很愉快，"他说，"我得走人了，再待下去可就让你们年轻人厌烦了。"

"别急啊，迈耶。"盖茨比并无热情地说。沃尔夫山姆举起手，做了一个祝福的动作。

"你们很客气，但我是另一代人了。"他一本正经地说道，"你们坐着吧，聊聊你们的运动，你们的年轻姑娘，你们的——"他又挥了挥手，以代替那个想象中的名词，"我呢，我已经五十岁了，也不想硬掺和在你们中间。"

他跟我们握完手转过身去的时候，那感伤的鼻子在颤动。我不知道是不是说了什么冒犯他的话。

"他有时候很多愁善感。"盖茨比解释道，"今天是他伤感的日子。他在纽约也是个人物——百老汇的老主顾。"

"那他是什么人，演员吗？"

"不是。"

"牙医？"

"你是说迈耶·沃尔夫山姆？不，他是个赌徒。"盖茨比犹豫了一下，然后轻描淡写地补充了一句："他是一九一九年幕后操纵世界棒球联赛的那个人。"

"操纵世界棒球联赛？"我重复道。

这个说法让我感到震惊。当然，我记得一九一九年，世界棒球联赛被人非法操纵，但即使我想起过这件事，也只会觉得它是一件发生了的事，是一连串事件的必然结果。我从来没有想到是一个人愚弄了五千万人——像窃贼一样，凭一己之力就撬开了一个保险箱。

"他怎么会干那个？"过了一会儿我问。

"他只是看到了机会。"

"可他为什么没进监狱？"

"他们抓不着他，old sport。他是个精明的人。"

我坚持要埋单。当侍者找回零钱时，我在拥挤的餐厅另一头看见了汤姆·布坎南。

"跟我过去一下，"我说，"我要跟一个人打声招呼。"

汤姆一看见我们就跳了起来，迈开大步朝我们走来。

"你这些日子去哪儿了？"他热切地问道，"你没打电话来，黛西很生气呢。"

"布坎南先生，这是盖茨比先生。"

他们随意地握了握手，盖茨比脸上浮现出一种少见的紧张而尴尬的表情。

"你最近怎么样？"汤姆问我，"怎么跑这么远来吃饭。"

"我跟盖茨比先生来这儿吃午餐。"

我向盖茨比先生转过身去，可他已经不见了。

一九一七年十月的一天——那个下午，在广场酒店花园的茶室里，乔丹·贝克挺直身板坐在一把直靠背的椅子上，讲起了"那件事"——我正沿着路边从一个地方走向另一个地方，一只脚踩着人行道，另一只脚踩在草坪上。我更喜欢踩草坪，因为我穿了一双从英国买的鞋，鞋底的橡皮疙瘩会咬住柔软的地面。我身上穿了一条新的格子呢裙，风一吹，裙子就会轻轻扬起，而各家房门前的红、白、蓝三色旗也会随风伸展，不情愿地发出"啧——啧——啧——啧"的声音。

黛西·费伊家的旗子和草坪都是最大的。她只有十八岁，比我大两岁，是当时路易斯维尔所有年轻女孩中最受欢迎的一个。她穿一身白色衣服，开一辆白色小跑车，房间里的电话一天到晚响个不停，泰勒营的那些年轻军官都迫切地渴望当晚能与她独处的荣幸。"无论如何，给我一个小时吧！"

那天早上我走到她家对面时，那辆白色跑车就停在路边，她跟一名我从未见过的中尉军官坐在车里。他们聊得全神贯注，直到我离她只有五英尺远，她才看见我。

"你好，乔丹，"她出其不意地叫道，"请你过来。"

她要跟我说话，令我备感荣幸，因为她是比我大的所有女孩中最让我敬慕的一个。她问我是不是要去红十字会做绷带。我说是的。那么，她问，我可不可以告诉他们，她那天去不了？黛西说话的时候，那位军官就一直看着她，每个女孩都会希望有人用这样的眼神注视着自己。这一幕对我来说太浪漫了，所以我一直都记得。他叫杰伊·盖茨比，从那以后我有四年没再见过他——甚至在长岛遇到他时，我都没有意识到是同一个人。

那是一九一七年。第二年，我自己也有了几个追求者，而且我开始打比赛，所以不常见到黛西。她交往的是一群稍大一点的人——如果她还同谁交往的话。流言飞语总是环绕在她周围——有人说一个冬天的晚上，她母亲发现她在收拾行李，准备去纽约跟一位要赴海外的军人道别。她被拦了下来，但却为此几个星期都没有跟家人说话。从那以后她再也不跟军人交往了，而只和城里一些平足近视，根本没资格参军的小青年待在一起。

第二年秋天，她又活跃起来，跟以前一样朝气蓬勃。停战之后，她参加了一次初进社交界的舞会。据说二月她跟一个新奥尔良来的人订了婚。六月，她嫁给了芝加哥的汤姆·布坎南，婚礼的奢华隆重是路易斯维尔前所未闻的。陪他来的一百多位客人包了四节车厢，又在摩尔巴赫酒店租了整层楼，婚礼前一天，他还送给她一串价值三十五万美元的珍珠项链。

我是伴娘。在喜宴之前半个小时，我走进她的房间，发现她躺在床上，穿着缀满花朵的裙子，像那个六月的夜晚一样美好——她烂醉如泥，一手拿着一瓶索泰尔纳酒，一手拿着一封信。

"恭喜我，"她喃喃说道，"从来没喝过酒，可是，噢，这酒可真好喝。"

"怎么了，黛西？"

我吓坏了，说真的，我从来没见过一个女孩那副样子。

"给你，宝贝儿。"她从拿到床上的废纸篓里摸索了一会儿，掏出那串珍珠项链，"拿下楼去，是谁的就还给谁。告诉他们所有人，黛西改变主意了。就说：'黛西改变主意了！'"

她开始放声大哭，哭个不停。我跑出去找到她母亲的女仆，然后我们把房门锁上，让她洗了个冷水澡。她怎么也不肯放开那封信，把它带进浴缸里，捏成湿淋淋的一团，直到看见它碎得像雪花一样，才让我放到肥皂碟里。

但是她什么话也没有说。我们给她薰阿摩尼亚精油，把冰块放在她的前额上，然后帮她把衣服穿好。半个小时之后，我们走出房间，珍珠项链已经戴在她颈前，那场风波也就过去了。第二天五点钟，她跟汤姆·布坎南完婚，没有任何意外。接着他们动身去南太平洋，开始了三个月的旅行。

回来之后，我在圣巴巴拉遇见了他们，我想我从没见过一个女孩对自己丈夫那么痴迷。汤姆离开房间一分钟，她就会不安地四处张望，念叨着："汤姆去哪啦？"脸上满是恍惚的神情，直到看见他走进门来。她会在沙滩上坐一个小时，让他把头偎在她怀里，用手指轻抚他的眼睛，怀着无限欣喜深情地看着他。他们俩在一起的场景令人动容——让你莫名向往，会心而笑。那是在八月。我离开圣巴巴拉一个星期之后，一天夜里汤姆在文图拉公路上与一辆货车相撞，撞飞了他汽车的一只前轮。跟他同车的女孩也上了报，因为撞断了手臂——她是圣巴巴拉酒店里一个打扫房间的女侍者。

第二年四月，黛西生下一个女孩，他们去法国待了一年。有一年春天我在戛纳见过他们，后来在多维尔也遇到过，然后他们就回到芝加哥定居。黛西在芝加哥很受欢迎，你知道的。他们跟一帮固定的人来往，都是些有钱又放荡的年轻人，但她的名声却一直无可挑剔。可能是她不喝酒的缘故。在一群酒鬼中间，滴酒不沾是很大的优势。你可以少说话，而且稍稍有点越轨的小动作也没关系，其他人都喝得酩酊大醉，要么看不见，要么不在意。也许黛西对风流韵事从来都不感兴趣——可她的声音里却总有那么一点味道……

后来，大概六个星期以前，她多年来第一次又听到盖茨比这个名字。就是上次我问你，还记得吗，我问你认不认识西卵村的盖茨比。你回家之后，她到我房间把我叫醒，问我："哪个盖茨比？"我当时迷迷糊糊的，等我描述一番之后，她用非常古怪的声音说，一定是她以前认识的那个男人。直到那时，我才将这个盖茨比和白色跑车里那个军官联系起来。

乔丹·贝克讲完这些的时候，我们已经离开广场酒店半个小时了，正坐着一辆敞篷马车穿过中央公园。太阳落到了西城五十几号街高大的公寓楼后面，那是电影明星们的住所。小女孩们已经像蟋蟀一样聚集在草坪上，她们清脆的声音穿透闷热的暮色在耳畔响起：

> 我是阿拉伯的酋长，
> 你的爱放在我心上。
> 深夜当你睡意正浓，
> 我会爬进你的帐篷——

"这是个奇怪的巧合。"我说。

"但这根本不是巧合。"

"为什么？"

"盖茨比买下那幢房子，是因为黛西就住在海湾对面。"

这么说，在那个六月的夜晚，他所向往的不仅仅是天上的星星了。在我心里，盖茨比似乎突然从他那空虚的奢华中降生，有了生命。

"他想知道，"乔丹继续说，"你愿不愿意找个下午邀请黛西到你家，然后让他也过去坐一坐。"

这个请求是那么谨小慎微，我为之一惊。他居然等了五年，买了一座豪宅，将星光洒给过往的飞蛾，为的就是能在某天下午到一个陌生人的花园里"坐一坐"。

"他就需要这么一点帮助，有必要告诉我一切吗？"

"他害怕，他等得太久了。他觉得你可能会介意。要知道，他心底里还是很执著的。"

我有点放心不下。

"为什么他不让你来安排一次见面呢？"

"他想带她看看他的房子，"她解释道，"而你就住在隔壁。"

"哦！"

"我想他大概原本指望黛西某天晚上会光临他的宴会，"乔丹继续说，"可她从来没有。然后他开始有意无意地打听有没有人认识她，我是他找到的第一个人。就在那晚的舞会上，他请人叫我过去，你真该听听他是怎么费尽心思才转入正题的。当然了，我马上就建议大家在纽约一起吃顿午餐，可他却疯了似的，'我不想干什么出格的事！'他说道，'我就想在隔壁见见她。'"

"当我提到你跟汤姆是特别好的朋友时，他又马上打消了全部主意。他对汤姆不怎么了解，尽管他说他好几年来都看一份芝加哥报纸，只为能有机会看到黛西的名字。"

天色已经黑了，当我们钻进一座小桥底下，我伸出手臂搂住乔丹金黄色的肩膀，把她拉向我怀里，邀她共进晚餐。突然间，我想的不再是黛西和盖茨比，而是这个清爽、健美、不太动脑筋、对一切都抱怀疑态度的女孩，她正扬扬得意地靠在我的臂弯里。此时，一句话开始在我耳边回响，令人心醉神迷："世间只有追求者和被追求者，忙碌的人与疲倦的人。"

"黛西的生活里应该得到点安慰。"乔丹对我低语道。

"她想见盖茨比吗？"

"这件事先不告诉她。盖茨比不想让她知道。你请她过去喝茶就可以了。"

我们经过一排黑压压的树林，五十九号街的建筑上，有一束柔和的光线照进公园里。不像盖茨比和汤姆·布坎南，我眼前不会出现什么情人的面容在黑暗的檐口和耀眼的招牌上恍惚浮动，所以我将身边的女孩拉得更近，搂得更紧。她嘴角挂着一抹疲惫而轻蔑的微笑，于是我将她拉得再近一些，一直贴到我的脸上。

第五章

那天夜里回到西卵村的时候，我一度以为自己家的房子着火了。已是凌晨两点，半岛的整个一角依然一片通明，光线照在灌木丛上虚浮不定，照得路旁的电线映出一丝一丝的闪光。转过弯去，我才看出是盖茨比的别墅，从塔楼到地窖都灯火闪耀。

起初我还以为又是一场宴会，一次狂欢，把整个别墅都敞开，大家一起捉迷藏或者玩"罐头沙丁鱼"的游戏。但是没有一丝声响。只有风穿过树丛，吹动电线，灯光忽明忽暗，好像房子在对着黑夜眨眼。送我回家的出租车低吟着离去，我看见盖茨比穿过草坪向我走来。

"你家看上去像在开世界博览会。"我说。

"是吗？"他心不在焉地转过身去看看，"我刚才在几间屋里挨个瞧了瞧。我们去康尼岛吧，old sport。坐我的车去。"

"现在太晚了。"

"哦，那到游泳池泡泡怎么样？我这一夏天还没下去过呢。"

"我得去睡觉了。"

"好吧。"

他等待着，看着我，欲言又止，一副急切的样子。

"我跟贝克小姐谈过了，"过了一会儿我说，"我明天打电话给黛西，请她来喝茶。"

"哦，那好，"他漫不经心地说，"我不想给你添麻烦。"

"你哪天方便？"

"你哪天方便？"他马上纠正了我的话。"你知道，我不想给你添麻烦。"

"后天怎么样？"

他考虑了一下，然后勉强开口道："我想让人修修草坪。"

我们都低头看了看——我那乱糟糟的草坪和他那宽阔整齐、葱郁茂密的草坪之间有一条明显的分界线。我猜他是指我的草坪。

"还有一件小事。"他含混地说，然后犹豫了一下。

"你是想推迟几天吗？"我问。

"哦，不是这事。至少——"他磕磕巴巴，不知该如何开口，"呃，我想——哎，我说，old sport，你挣的钱不多，是吧？"

"不是很多。"

这似乎让他放下心来，于是更有把握地继续说道：

"我也想到了，如果你不介意——我是说，我业余也做点小生意，算是副业，你知道。我想如果你挣钱不多——你在卖债券，是吧，old sport？"

"试着做。"

"嗯，也许你会感兴趣。不需要花太多时间，也可以赚一笔可观的收入。不过这是件机密的事。"

我现在意识到，如果换一种情况，那次对话可能是我人生中的一个转折点。但在当时，这个邀请提得太过唐突，太不含蓄，明显就是为了答谢我帮他的忙，所以我别无选择，只能打断他的话。

"我手头事情很多。"我说，"非常感激，但是我没法接受更多的工作。"

"你不用跟沃尔夫山姆打任何交道。"显然他以为我是为了避开午餐时提到的"关系"，但我向他保证不是他想的那样。他又等了一会儿，希望我能开始一个新的话题，但我心思完全不在这上面，没有理会，他也就不情愿地回家去了。

那个夜晚让我很高兴，也有点飘飘然。我觉得自己一进家门就倒头睡着了。所以不知道盖茨比有没有去康尼岛，也不知道他在那依然灯火通明的房子里，又花了几个小时"挨个屋子瞧瞧"。第二天早上，我在办公室给黛西打了电话，请她来喝茶。

"别带上汤姆。"我提醒她。

"什么？"

"别带上汤姆。"

"谁是'汤姆'？"她装傻地问道。

我们约好的那天下起了倾盆大雨。十一点的时候，一个穿着雨衣的男人拖着一台割草机，敲敲我家前门，说盖茨比先生派他来帮我修剪草坪。这让我想起忘了叫芬兰女佣过来，于是我开车去西卵村，到墙壁刷得粉白的湿淋淋的巷子里找她，顺便买了些茶杯、柠檬和鲜花。

鲜花是多余的，因为下午两点，从盖茨比家送来了一温室的花，连同无数个插花的容器。一个小时之后，有人紧张地推开了前门，盖茨比身着白色法兰绒西装、银色衬衫和金色领带，匆匆忙忙走了进来。他脸色苍白，眼圈发黑，看来是没有睡好。

"都还好吧？"他进门就问。

"草坪看上去不错，如果你是说这个。"

"什么草坪？"他茫然地问，"哦，你院子里的草坪。"他边说边朝窗外张望。不过从他的表情来看，我相信他什么也没看见。

"看上去很好。"他含糊地说道，"有家报纸说大概四点钟雨就会停。应该是《纽约日报》。茶——茶啊什么的都准备好了吗？"

我把他带到食品间，他有点不满意地看了看芬兰女佣。我们把从甜品店买来的十二块柠檬蛋糕都细细察看了一番。

"可以吗？"我问道。

"当然，当然！都很好！"然后他又不知所云地加了一句，"……old sport。"

大概三点半钟，雨渐渐小了，变成潮湿的雾气，不时还有几滴雨水像露珠一样飘下来。盖茨比漫不经心地看着一本克莱的《经济学》，每当芬兰女佣的脚步震动厨房地板，他就会吓一跳。他还时不时地朝模糊的窗外瞥上几眼，好像外面正在发生一系列看不见却又令人心惊的事情。最后，他站起身来，用一种犹疑的声音告诉我，他要回家了。

"为什么？"

"不会有人来喝茶了。太晚了！"他看看表，好像别的地方还有什么急事等他去办，"我不能在这儿等一天。"

"别傻了，现在还差两分不到四点。"

他又沮丧地坐了下来，好像是我把他推倒的。就在这时，一辆汽车的声音从我家车道上传来。我们俩都跳了起来，我自己也有点慌张地跑到外面院子里。

没有开花的紫丁香树滴着水，一辆敞篷车在树下沿着车道开了过来。车子停下，黛西戴着一顶浅紫色的三角帽，轻侧着脸，神采奕奕地看着我，露出欣喜的笑容。

"你真的就住在这儿吗，我最亲爱的人？"

她那起伏荡漾的嗓音在雨中让人听了心旷神怡。我的耳朵得跟随这起起落落的声音才能明白她所说的话。一缕潮湿的秀发贴在她的脸颊上，像用画笔抹上了一线蓝色。我扶她下车的时候，发现她的手也被晶莹的雨水打湿了。

"你是爱上我了吗，"她低声在我耳边说，"为什么要我一个人来呢？"

"那是雷克兰特古堡①的秘密。让你的司机离开一下，一小时之后再回来。"

"一小时后再回来，弗迪。"然后她一本正经地小声告诉我，"他的名字叫弗迪。"

①十八世纪恐怖小说《雷克兰特古堡》的故事发生地。

"汽油味会影响他的鼻子吗？"

"不会吧，"她天真地说，"怎么了？"

我们走进屋去。客厅里空无一人，这让我大吃一惊。

"哈，真有意思。"我喊道。

"什么有意思？"

这时门口传来彬彬有礼的轻轻敲门声，她转过头去。我走到外面把门打开。盖茨比面如土灰，两手沉重地插在外衣口袋里，站在一摊水中，神情凄惨地盯着我的眼睛。

他从我身边大步走进前厅，双手仍然揣在外衣口袋里。然后，他像提线木偶一样猛然转身，拐进了客厅。那样子一点也不轻松。我意识到自己的心也在怦怦直跳，我伸手把门关上，外面的雨越下越大了。

有半分钟的时间，寂静无声。然后客厅里传来一阵哽咽的低语和间或的笑声，接下来是黛西清脆而不自然的嗓音："又见到你，我真的很高兴。"

又一阵停顿。时间长得可怕。我在前厅里无所事事，于是也走进屋去。

盖茨比正斜倚在壁炉台边，双手仍插在口袋里，强装出一副闲散放松，甚至百无聊赖的样子。他的头使劲往后仰，一直挨到壁炉台上一座报废的大钟钟面上。他那双慌乱不安的眼睛从这个角度凝视着黛西。黛西坐在一把硬背椅子的边缘，神情惶恐却仍很优雅。

"我们以前见过。"盖茨比嘟哝道。他飞快地瞟了我一眼，张了张双唇，却又没能笑出来。幸好这个时候，他的脑袋把那座钟压得险些歪倒，他赶忙转过身去用颤抖的手指把它扶正放好。然后他直挺挺地坐了下来，臂肘支在沙发扶手上，手托住下巴。

"对不起，碰到钟了。"他说。

我自己的脸也火辣辣的，一定已经涨得通红。我脑子里那成千上万句客套话如今竟然一句都冒不出来。

"一座旧钟而已。"我傻乎乎地对他说。

我想有一阵我们大家都以为那座钟已经掉在地上摔得粉碎。

"我们好几年没见面了。"黛西说。她的声音尽可能显得冷静。

"到十一月，整整五年。"

盖茨比脱口而出的回答让我们至少又愣了一分钟。我好不容易急中生智，建议他们帮我去厨房里准备茶，他们已经站起身，可就在这时那倒霉的芬兰女佣用托盘把茶端了出来。

在忙着递茶杯、接蛋糕的纷乱中，倒形成了一种自然而得体的局面。盖茨比退到一边，我和黛西交谈的时候，他用紧张而忧伤的眼神认真地看看我，又看看她。然而，平静本身并不是最终目的，于是我一有机会就找了个借口，站起身来。

"你去哪儿？"盖茨比马上警觉地问我。

"我就回来。"

"你走之前，我还有话要跟你说。"

他大步跟着我进了厨房，关上门，然后小声说："哦，上帝！"一副痛苦的样子。

"怎么了？"

"这是个可怕的错误，"他边说边来回摇头，"可怕之极的错误。"

"你只是不好意思罢了，没别的。"还好我加了一句，"黛西也不好意思。"

"她不好意思吗？"他怀疑地重复道。

"跟你一样。"

"别那么大声。"

"你跟个孩子似的。"我不耐烦地脱口而出，"不仅如此，你还很没礼貌。黛西一个人坐在那里呢。"

他举起手打断我的话，用令人难以忘怀的责怪的眼神看了看我，小心翼翼地打开门，回到那间屋里去。

我从后门走出去。半个小时之前，盖茨比也是从这里出去，紧张地绕着房子转了一圈。我跑向一棵黑漆漆满是节瘤的大树，它茂密的树叶织成了一方挡雨篷。雨又一次瓢泼而下，我那杂乱的草坪本来被盖茨比的园丁修得平平整整，现在又到处是小泥潭，变成年代久远的沼泽地了。站在树下没什么可看的，除了盖茨比的那幢豪宅。所以我盯着它看了半个小时，就像康德注视着他的教堂尖顶一样。这幢房子是一个酿酒商在十年前"仿古热"初期建造的，有传闻说，他答应为附近所有的住宅支付五年税款，只要房主们肯在屋顶铺上稻草。或许他们的拒绝让他"创建家业"的计划遭到了致命打击，他很快就一蹶不振了。孩子们卖掉他的房子时，门上还挂着丧葬的花圈。美国人，虽然愿意甚至渴望去当奴隶，但一向是坚决不做乡巴佬的。

半个小时之后，太阳又出来了，杂货店的送货车沿着盖茨比家的车道拐弯，送来了他的用人们做晚餐用的原料——我敢肯定盖茨比一口也吃不下。一个女佣开始打开楼上的窗户，她的身影在每个窗口都闪现一下，然后她从正中的大窗户探出身子，若有所思地朝花园里啐了一口。该是我回去的时候了。刚才那淅淅沥沥的雨声就像他们的窃窃私语，时而随着感情的迸发挑高音调。但在这新的寂静中，我觉得整座房子也静了下来。

我走进屋去——在厨房里尽可能地制造出各种声响，只差把炉灶打翻了，但我相信他们什么都没听见。他们坐在沙发的两端，看着对方，好像谁刚问了什么问题，或者在等待答案，窘迫的迹象已丝毫不见。黛西满面泪水，见我进去她跳了起来，拿出手帕对着镜子开始擦拭。而盖茨比的变化让人很是不解。他简直容光焕发，虽然没有说一句话，也没有任何表示喜悦的动作，但是一种新的幸福感从他身上发散出来，充盈着这个小房间。

"哦，你好啊，old sport。"他好像多年没见过我似的。一瞬间我还以为他要来跟我握手。

"雨停了。"

"是吗？"等他反应过来我在说什么，发现屋里闪烁着阳光时，他像一个天气预报员，又像一个欣喜若狂的光明守护神一样，笑着向黛西报告这条消息："你听听，雨停啦。"

"我很高兴，杰伊。"她只表露出意外的喜悦，可她的嗓音却有一股哀楚的美。

"我想请你和黛西到我家去，"他说，"我想带她转转。"

"你真的想让我一起去吗？"

"当然，old sport。"

黛西上楼去洗脸——我想起我那条丢人的毛巾，不过为时已晚——盖茨比和我在草坪上等她。

"我的房子看上去不错，是吧？"他问道，"瞧，它整个正面都迎着阳光。"

我表示同意，房子的确很棒。

"没错。"他的目光巡视着每一扇拱门，每一座塔楼，"我只花三年时间就赚够了钱买下它。"

"我还以为你的钱是继承来的。"

"是的，old sport，"他不假思索地说，"但我在大恐慌时期损失了大半，就是战争引起的那次大恐慌。"

我想他大概也不知道自己在说什么，因为当我问他做什么生意时，他答道"那是我的事"，然后他才意识到这个回答很不得体。

"哦，我做过好几种生意。"他改口说，"一开始做药品生意，后来又做过石油生意。不过现在这两行都不做了。"他更加谨慎地看着我，"你是说你在考虑我那天晚上的建议吗？"

我还没来得及回答，黛西从屋里走了出来，她衣服上的两排铜纽扣在阳光中闪烁。

"是那边那座大房子吗？"黛西用手指着，大声叫道。

"你喜欢吗？"

"我喜欢，可我不明白你怎么能一个人住在那儿。"

"我那里一天到晚聚满了客人，都是一些有趣的名流和大人物。"

我们没有抄近路沿海边过去，而是绕到大路上，从高大的后门进去。黛西用她迷人的低语称赞着眼前的一切，称赞天空映衬下中世纪建筑的轮廓，称赞花园里长寿花沁人心脾的香气，山楂花和梅花泡沫般的清香，还有吻别花淡金色的味道。走到大理石台阶前，看不到衣着鲜艳的人在门口进进出出，也听不见喧闹的声响，只有鸟儿在树上歌唱，这种感觉还真有些奇怪。

到了里面，我们漫步穿过玛丽·安托万内特①式的音乐厅和复辟时期式样的小客厅。我觉得宾客们就躲在每一张沙发和每一张桌子后面，奉命屏住呼吸，一动不动，等着我们走过去。盖茨比关上"默顿学院②图书室"大门的时候，我敢发誓我听到那个猫头鹰眼男人发出一阵幽灵般的笑声。

我们走上楼，穿过一间间复古风格的卧室，里面铺满了玫瑰色和淡紫色的绸缎，摆满了缤纷的鲜花。又穿过一间间更衣室、台球室和配有下沉式浴池的浴室。当我们闯进一间卧室时，一个蓬头垢面的人正穿着睡衣在地板上做俯卧撑。是克里普斯普林格先生，那个"房客"。那天早上我看见他如饥似渴地在海滩上徘徊。最后我们走进盖茨比自己的套间，一个卧室，一个浴室，还有一间书房，我们坐下来，喝了一杯他从壁橱里拿出来的查特酒。

他的目光一刻也没有离开过黛西，我想，他是在根据她那双令人爱慕的眼睛作出的反应，重新估算房子里每一样东西的价值。偶尔，他也会茫然地环顾一下自己拥有的一切，仿佛有她这个真真切切、令人惊心动魄的人站在身旁，所有的东西都不再是真实的了。

①玛丽·安托万内特（1755－1793），法国国王路易十六的王后。
②英国牛津大学的一个学院，以藏书丰富而著名。

有一次他差点从楼梯上滚下去。

他的卧室是所有房间里最简单的——只有梳妆台上摆着一套纯金的梳妆用具。黛西兴奋地拿起梳子梳了梳头发，惹得盖茨比坐下遮住眼睛大笑起来。

"太有意思了，old sport，"他喜不自禁地说，"我不能——每当我想——"

他显然已经经历了两个心理阶段，正在进入第三阶段。在最初的窘迫和继而的狂喜之后，她奇迹般的出现开始令他心力交瘁。这件事在他心头已经萦绕太久，他梦寐以求，咬紧牙关苦苦等待，可以说感情强烈到令人难以置信的程度。现在，由于反作用，他像一个发条上得太紧的闹钟，精疲力竭了。

过了一会儿，他恢复过来之后，为我们打开了两个由专门厂家制造的特大衣橱，里面放满他的西装、晨衣和领带，还有像砖块一样码了十几层高的一摞摞衬衫。

"我在英国请了个人专门为我添置衣服。入春和入秋的时候，他都会挑选一些寄给我。"

他拿出一摞衬衫，一件一件扔在我们面前，薄麻布的、厚丝绸的、细法兰绒的，全都抖散开来，五颜六色的随意铺了一桌子。我们欣赏的时候，他又拿出来更多，柔软而贵重的衬衫堆得更高了——条纹的、花纹的、方格的，珊瑚色、苹果绿、浅紫色、淡橘色，还有绣着字母组合的深蓝色衬衫。突然，黛西哽咽了一声，一头埋进衬衫堆里，嚎啕大哭起来。

"这些衬衫真美，"她抽泣着，声音闷在衬衫堆里，"我好伤心，我从来没有见过这么、这么美的衬衫。"

看过房子之后，我们本来还要去看看庭院、游泳池、水上飞机和盛夏的繁花，但在盖茨比的窗外，雨又下了起来，于是我们三个人站成一排，眺望着水波荡漾的海湾。

"要不是因为有雾，我们就能看到海湾对面你的家。"盖茨比说，"你那边码头的尽处总有一盏通宵不灭的绿灯。"

黛西蓦地挽住他的手臂，但他似乎还沉浸在刚才那句话中。或许是因为他突然想到，那盏灯的重大意义从此永远消失了。遥远的距离曾将他与黛西分开，相比起来，那盏灯却离黛西那么近，几乎可以碰得着她，就像一颗星星与月亮形影不离。可现在，它又只是码头上的一盏绿灯而已了。令他神迷的事物又少了一件。

我开始在屋子里随便走走，在半明半暗的光线中看看各种各样模糊的陈设。挂在他书桌上方墙上的一张大照片吸引了我，照片里是一个身穿游艇服的年老的男人。

"这是谁？"

"那个？那是丹·科迪先生，old sport。"

这名字听上去有点耳熟。

"他去世了。多年以前他是我最好的朋友。"

五斗柜上有一张盖茨比的小照片，也穿着游艇服——他向后昂着头，一副不以为然的样子。显然是他十八岁左右的时候照的。

"我喜欢这张。"黛西喊道，"这个蓬巴杜发型！你从来没告诉我，你留过蓬巴杜发型，还有游艇。"

"看这儿，"盖茨比连忙说，"这儿有好多剪报，都是关于你的。"

他们并肩站着仔细翻看那些剪报。我正想提议看看他收藏的红宝石，电话铃响了，盖茨比拿起听筒。

"对……嗯，我现在不方便……我现在不方便，old sport……我说的是一个小城……他一定知道什么是小城……好，如果他觉得底特律是小城，那我们要他没用……"

他挂了电话。

"快来这儿！"黛西在窗边喊道。

雨还在下，可是西边的乌云已经散开，粉色和金色的云朵在海面上空翻滚着。

"看那儿啊。"她低语道。过了一会儿，又说："我就想摘一朵那粉色的云，把你放在里面推来推去。"

我想要离开了，可他们怎么都不答应。或许是我的存在能让他们更心安理得地"独处"。

"我知道干什么好了，"盖茨比说，"我们让克里普斯普林格弹钢琴。"

他走出房间，喊了一声"艾温"，几分钟后，一个神情尴尬、有点疲惫，戴着玳瑁边眼镜，头发金黄而稀疏的年轻男人跟着他走了进来。这男人现在穿得体面些了，一件敞领的"运动衫"，一双运动鞋，一条退色的帆布裤子。

"我们打扰你锻炼了吗？"黛西礼貌地问。

"我在睡觉呢，"克里普斯普林格先生窘迫地大声说道，"我是说，我刚才在睡觉。然后起来……"

"克里普斯普林格会弹钢琴，"盖茨比打断他的话，"是吧，艾温，

old sport？"

"我弹得不好，我弹得不——我根本就很少弹，我好久没有
练——"

"我们下楼去。"盖茨比插话道。他按了一个开关，那些灰暗的
窗户顿时不见了，明亮的光线洒满了整个房间。

在音乐厅里，盖茨比打开钢琴旁边唯一的一盏灯。他颤抖着用
一根火柴点燃黛西手里的烟，然后和她一起远远地坐在房间另一头
的沙发上。那里没有灯光，只有地板从前厅反射过来的光线。

克里普斯普林格弹奏完《爱巢》之后，从钢琴凳上转过身来，
神情不悦地在一片昏暗中寻找盖茨比的身影。

"我很久不练了，你看。我告诉过你我弹不了。我根本就没有
练——"

"别那么多话，old sport，"盖茨比命令道，"弹吧！"

　　在清晨，

　　在夜晚，

　　我们欢乐开怀——

屋外风很大，海湾传来一阵隐隐的雷声。此时此刻西卵村所有
的灯都亮了；从纽约开来的电动火车满载着乘客，在雨中向家的方
向疾驰。这是人们思绪深沉、情感起伏的时刻，空气中渗透着激动
的情绪。

有一件事千真万确，

　　富人生财，穷人生子。

　　在这同时，

　　在这之间——

　　我走过去告辞的时候，看到那种困惑的神情又浮现在盖茨比的脸上，他似乎对眼下的幸福有点隐隐的怀疑。将近五年了！那个下午一定有某些时刻，黛西并不如他梦想中的那般，但这不是黛西的错，而是因为他的幻想生命力过于旺盛。这种幻想已经超越了她，超越了一切。他以创造的激情投入到这场梦幻中，不断地给它增添色彩，用飘来的每一根绚丽的羽毛点缀着它。再炽热的火焰，再饱满的活力，都比不上一个男人孤独的内心积聚起的情思。

　　我注视着他，看得出来他在慢慢调整自己以适应眼前的现实。他握住她的手，当她在他耳旁低语时，他就满怀深情地转向她。我想，最令他迷醉的是她那起伏如旋律、温润暖人心的声音，因为那是他在梦里无法企及的——那是一首永恒的歌。

　　他们俩已经把我忘了。黛西抬起头来扫了一眼，伸出她的手；盖茨比则完全认不出我来。我又看了他们一眼，他们也看了看我，心思却早已飘然远去，被强烈的情感占据。于是我离开房间，走下大理石台阶，走进雨中，留下他们两人在一起。

第六章

　　大约就在这段时间，有一天早上，一个野心勃勃的年轻记者从纽约赶来，登门采访盖茨比，想让他发表一些看法。

　　"关于什么的看法？"盖茨比客气地问道。

　　"就是——随便谈谈。"

　　困惑了五分钟之后，事情才弄明白。原来这个人在办公室里听人提起过盖茨比的名字，可是为什么会提起，他却不肯透露，或者他自己也不太清楚。今天他休息，于是就主动跑出城来"看看"。

　　虽然是来碰碰运气，但他的直觉却是对的。整个夏天，盖茨比的名声越来越大，差一点就成了新闻人物，成百上千名接受过他热情款待的客人仿佛都对他的经历了如指掌，于是四处传播。当时的传闻，比如"通往加拿大的地下管道"都跟他扯上了关系。还有一种说法一直在流传，说他根本就不住在屋子里，而是住在一艘船上，那船像屋子一样，悄悄沿着长岛海岸来回浮动。为什么这些无中生有的谣言会让北达科他州的詹姆斯·盖兹感到满足，这就不得而知了。

詹姆斯·盖兹——这是他真正的，至少是法律上的姓名。他在十七岁那年，在见证他事业开端的那个特殊时刻改掉了名字，当时他看见丹·科迪的游艇在苏必利尔湖最险恶的沙洲上抛锚。那天下午，詹姆斯·盖兹穿着一件破旧的绿色毛线衫和一条帆布裤在沙滩上闲逛，后来他借到一条小船，划到"托洛美号"去通知科迪半小时之内可能会有一场大风掀翻他的游艇——这个时候，他已经是杰伊·盖茨比了。

我想他当时早已把名字想好。他的父母是碌碌无为的庄稼人，在他的头脑里，从来没有真正承认过他们是他的父母。实际上，长岛西卵村的杰伊·盖茨比是从他自己柏拉图般的幻想中诞生的。他是上帝之子——这个词语如果有什么意义，他想要表达的就是它字面上的意义——他必须效命于他的天父，追求一种博大、世俗、华而不实的美。所以，他虚构出这样一个盖茨比，恰恰也是一个十七岁男孩想要虚构的人物，而他自始至终忠于这一理想形象。

一年多来，他沿着苏必利尔湖的南岸奔波，捞蛤蜊，捕鲑鱼，或者干些其他能够维持生计的活。他那黝黑、愈加健壮的身体应付着时而辛苦时而闲散的工作，日子过得舒心惬意。他很早就了解女人，因为女人们都宠爱他，他反倒瞧不起她们。他瞧不起年轻的处女，因为她们无知；他也瞧不起其他女人，因为她们容易对一些事歇斯底里，而在他那颗势不可挡的自负的心里，那些事都是理所当然的。

但是他的内心却始终处于躁乱不安中。夜晚入睡时，各种最为诡异怪诞的念头就会纠缠着他。闹钟在脸盆架上滴答作响，地板上乱作一团的衣服浸润在潮湿的月光里，一个无以名状的浮华世界便会在他的脑海里显现。每个夜晚，他都会给这些幻想中的美景描绘几笔，直到睡意不知不觉地袭来，合上这生动多姿的画面。有一段时间，这些幻梦为他的想象力提供了一个发泄的出口。它们令人满意地暗示，现实是不真实的；它们也让人相信，世界的基石牢牢地建立在仙女的翅膀上。

几个月以前，一种追求光辉未来的本能促使他前往明尼苏达州南部路德教的小圣奥拉夫学院。他在那里只待了两个星期，因为学院对他擂响的命运之鼓漠不关心，令他感到沮丧，他也不屑于为支付学费去做勤杂工作。之后他又四处游荡，回到了苏必利尔湖。那天，他还在找些活儿干的时候，丹·科迪的游艇在湖边的浅滩抛了锚。

科迪那个时候五十岁，在内华达州挖过银矿，在育空地区淘过金，一八七五年以来的每一次淘金热中都可以看到他的身影。他在蒙大拿州做铜矿生意挣了好几百万，结果身体虽然依旧健壮，头脑却几近糊涂。无数女人觉察到这一点，便想方设法让他交出财产。那个名叫埃拉·凯的女记者抓住了他的弱点，扮演了曼特农夫人[①]的角色，让他坐上游艇漂到海里去，她那些不光彩的手段是一九〇二年八卦报纸最爱刊登的内容。他沿着这舒适宜人的海岸航行了五年，就在那一天驶入"少女湾"，成了詹姆斯·盖兹命运的转折点。

---

①曼特农夫人，即弗朗索瓦丝·奥比涅（1635-1719），法国国王路易十四的情妇。

年轻的盖兹两手支在船桨上，抬头看着栏杆围起的甲板，对他而言，这游艇凝聚了世界上所有的美感与荣耀。我想，他当时对科迪笑了——他大概发现他微笑的样子很讨人喜欢。不管怎样，科迪问了他几个问题（其中之一引出了他的新名字），发现他聪明伶俐，颇具野心。几天之后，科迪带他去德卢斯城，给他买了一件蓝色的外套、六条白色帆布裤和一顶游艇帽。等"托洛美号"起程前往西印度群岛和柏柏里海岸的时候，盖茨比也一起走了。

他以一种不太明确的身份在科迪手下工作——先后当过侍者、大副、船长、秘书，甚至狱卒，因为丹·科迪清醒的时候知道自己醉酒之后会怎样挥金如土，所以为了防止这类意外，他越来越信任盖茨比。这种状况持续了五年之久，在此期间他们的船绕着美洲大陆环游了三圈。本来可以永久持续下去，然而一天晚上在波士顿，埃拉·凯上了船，一星期后丹·科迪便毫不客气地过世了。

我记得他那张挂在盖茨比卧室里的照片，头发灰白，肤色红润，一副坚毅却又空虚的面孔——这是个沉湎酒色的拓荒者，他在美国生活的某一时期，将边疆妓院和酒馆里的狂野粗暴带回到了东部沿海地区。盖茨比很少喝酒，这要间接归功于科迪。有时在欢闹的宴会上，女人们会把香槟揉进他的头发，但他自己却养成了滴酒不沾的习惯。

他的钱财是从科迪那里继承而来——一笔两万五千美元的遗赠。不过他一分都没有拿到。他从未搞明白别人用了什么法律手段来对付他，只是那百万财产余下的部分原封不动地归了埃拉·凯。留给他的是一份独特而恰当的教育：杰伊·盖茨比的模糊轮廓已经充实起来，成为一个有血有肉的男人了。

很久之后，他才告诉我这一切。但我在此把它写下来，是想驳斥早前那些关于他祖先的荒唐谣言，那些全无依据的讹传。再有，他告诉我的时候我正处于困惑中，对他的种种传闻半信半疑。所以现在趁这短暂的停顿，我把整个误会澄清一下，就当作让盖茨比喘口气吧。

这段时间也是我与他交往中的一个间歇。我已经好几个星期没看见他，也没接到他的电话了。大多数时间我都在纽约，跟着乔丹到处跑，努力讨好她那年迈的姑妈。不过，我最终还是在一个星期日的下午去了盖茨比家。我刚到没有两分钟，就有人带着汤姆·布坎南来喝酒。当然，我很吃惊，但真正让我吃惊的是，这还是布坎南第一次来。

他们一行三人是骑马来的——汤姆，一个姓斯隆的男人，还有一个穿着棕色骑装的漂亮女人，她以前来过。

"很高兴看到你们，"盖茨比站在门廊上说，"欢迎你们大驾光临。"

好像他们真会在乎似的！

"请坐，抽支烟或者雪茄吧。"他在屋子里忙活起来，马上摇铃喊人，"我这就让人给你们拿点喝的来。"

汤姆的到来让他的心绪颇受影响。不过在招待好客人之前，他反正也不会安宁，因为他隐约意识到他们就是为接受款待而来的。可斯隆先生什么都不要。来杯柠檬水？不，谢谢。来点香槟？不用了，谢谢……抱歉——

"你们一路骑过来还好吧？"

"这边的路很不错。"

"大概路上汽车——"

"没错。"

盖茨比突然一阵冲动，转向汤姆。刚才介绍的时候，他们彼此只当是陌生人。

"我觉得我们在哪儿见过，布坎南先生。"

"啊,是啊,"汤姆礼貌而生硬地说，显然他并不记得，"我们见过，我记得很清楚。"

"大概两星期前。"

"没错。当时你跟尼克在这儿。"

"我认识你妻子。"盖茨比继续说道，几乎有点挑衅的意味。

"是吗？"

汤姆转向我。

"你住在这附近吗，尼克？"

"就在隔壁。"

"是吗？"

斯隆先生没有加入对话，而是傲慢地仰靠在椅子上。那女人也没说什么，直到喝了两杯苏打水威士忌之后，出人意料地兴奋起来。

"我们都来参加你的下一次宴会，盖茨比先生，"她提议道，"你说怎么样？"

"当然。你们能来，我很高兴。"

"那很好，"斯隆先生丝毫不带感激之情，"嗯——我看得回家了吧。"

"请不要着急。"盖茨比劝道。他现在已经能控制自己了,他还想多看汤姆几眼。"你们为什么——为什么不留下吃晚餐呢?说不定待会儿还有人从纽约过来。"

"到我家吃晚餐吧,"那女人热情地说,"你们两个都来。"

也包括了我。斯隆先生站起身来。

"走吧。"他说,不过只针对她一个人。

"我是说真的,"她坚持道,"你也去啊,有的是地方。"

盖茨比疑惑地看了看我。他想去,并且他没看出斯隆先生不打算让他去。

"我恐怕去不了。"我说。

"啊,那你来吧。"她把目标集中在盖茨比身上,催促道。

斯隆先生在她耳旁小声说了些什么。

"我们如果现在出发,就不会晚。"她大声坚持道。

"我没有马,"盖茨比说,"我以前在军队里骑过,但从来没买过马。我得开车跟着你们。请等一分钟。"

我们余下几人走到门廊上,斯隆和那位女士开始在一旁激烈地交谈起来。

"我的天,我就知道他真的要来,"汤姆说,"难道他不清楚她不想让他来吗?"

"她说她欢迎啊。"

"她要举办一场大型晚宴,那儿的人他一个也不认识。"他皱了皱眉头。"我就奇怪他到底在哪儿见过黛西。谁知道,也许我观念比较老套，但是这年头女人们到处乱跑，我可看不惯。她们去见各种乱七八糟的人。"

突然间，斯隆先生和那位女士走下台阶，上了马。

"来吧，"斯隆先生对汤姆说，"要迟到了，我们得走了。"然后对我说："请你告诉他我们不等了，可以吗？"

汤姆和我握了握手，另外两个人和我相互冷淡地点了点头，然后他们骑着马匆匆上了车道，消失在八月的树荫里。而盖茨比拿着帽子和薄外套，正从前门走出来。

汤姆对于黛西一个人到处乱跑显然放心不下，于是接下来那个星期六的晚上，他与黛西一同出现在盖茨比的宴会中。也许是由于他在场，那个夜晚有一种奇怪的压抑感——与那年夏天盖茨比家的其他宴会截然不同，那一次鲜明地印在了我的记忆中。还是同样那些人，或者至少是同一类人，同样源源不断的香槟，同样五花八门、七嘴八舌的喧闹，但是我感觉到，空气中弥漫着一种不愉快的气息，一种从未有过的不和谐。或许，只是出于我的习惯而已，我已经习惯于把西卵村看作一个独立完整的世界，有它自己的标准和大人物。它首屈一指，因为它本就不在意是否如此。而现在我要通过黛西的眼睛，重新审视这一切。通过一双新的眼睛去看待你已经努力适应的事物，这不免会令人难过。

他们在黄昏时分到来，当我们漫步在数百位珠光宝气的客人中时，黛西又开始用她的嗓音玩起呢喃细语的把戏。

"这些东西太让我兴奋了，"她小声说，"如果今天晚上什么时候你想吻我的话，尼克，尽管告诉我，我很乐意为你安排。只要提一下我的名字就可以了。或者出示一张绿色卡片。我正在发绿色的——"

"四处看看吧。"盖茨比建议道。

"我正四处看呢。我真是非常——"

"你一定能看到许多以前听说过的人。"

汤姆那高傲的眼神扫过人群。

"我们不经常到处去。"他说，"事实上，我刚才正在想，这里的人我一个都不认识。"

"你也许认识那位女士。"盖茨比指着一个坐在白梅树下，如花似玉的女人。汤姆和黛西目不转睛地看着，认出这是一位只能在大银幕上见到的明星，流露出难以置信的神情。

"她真漂亮。"黛西说。

"一旁弯着腰的是她的导演。"

盖茨比郑重其事地领着他们走过一群又一群客人。

"布坎南太太……布坎南先生——"他犹豫了一下，补充道，"马球健将。"

"哦，不，"汤姆连忙否认，"我可不是。"

但是盖茨比显然喜欢这个称呼，因为接下来的整个晚上，汤姆一直被当作"马球健将"。

"我从来没有见过这么多名人，"黛西兴奋地说，"我喜欢那个男人——他叫什么来着？鼻子有点青的那个。"

盖茨比说出那人的姓名，又说他是一个小制片人。

"哦，反正我喜欢他。"

"我倒是宁愿不做马球健将，"汤姆愉快地说，"我宁可在一旁默默无闻地看着这些名人。"

黛西和盖茨比跳起了舞。我记得他们那优雅的老式狐步舞令我感到惊讶，因为我从没有见过盖茨比的舞姿。然后他们漫步到我家，在台阶上坐了半个小时，黛西要求我待在花园里为他们把风。"万一着火或者发大水，"她解释道，"或是什么天灾之类的。"

我们坐下来要吃晚餐的时候，汤姆从"默默无闻"中现身了。"你们介意我跟那边的几个人一起吃饭吗？"他说，"有个家伙正在讲些好玩的事情。"

"去吧，"黛西和颜悦色地答道，"如果你想记下谁的地址，把我这支金色小铅笔拿去……"过了一会儿，她四处望望，跟我说那个女孩"长相平平，但很可爱"，于是我知道，除了跟盖茨比独处的那半个小时之外，其他时间她并不开心。

我们坐在一桌烂醉如泥的人中。都是我的错——盖茨比被叫去接电话，而我两个星期以前还跟这些人玩得很好。不过，那时令我开心的事，现在却变得乏味无趣了。

"你感觉怎么样，贝达克小姐？"

这个女孩正要慢慢地倒在我肩上，不过没有成功。我一问，她就坐起身，睁开了眼睛。

"什么？"

一个身材高大、没精打采的女人原本一直在劝黛西明天和她到本地的俱乐部去打高尔夫球，现在倒为贝达克小姐辩白起来："哦，她已经好多啦。她经常喝了五六杯鸡尾酒之后就这么大喊大叫。我跟她说，她不应该喝酒。"

"我确实没怎么喝。"受到指责的人无力地回应道。

"我们听见你喊了，所以我跟西维特医生说：'这儿有人需要你的帮助，医生。'"

"我相信她非常感激，"另一个朋友毫无感激地说，"但是你把她的头摁到游泳池里的时候，把她的裙子全弄湿了。"

"我最恨别人把我的头摁到游泳池里，"贝达克小姐嘟囔道，"有一次在新泽西他们差点淹死我。"

"那你就不该喝酒了。"西维特医生反驳。

"说说你自己吧！"贝达克小姐粗暴地嚷嚷，"你的手直发抖。我才不让你给我做手术呢！"

一切不过如此。我记得的最后一件事就是我和黛西站在一起，望着那位电影导演和他的大明星。他们仍然在那棵白梅树下，脸颊几乎贴在一起，只隔了一束暗淡的月光。我意识到，他整个晚上一直在慢慢地向她弯下腰去，终于和她贴得那么近。从这里望去，我看见他弯下最后一点距离，亲吻了她的脸颊。

"我喜欢她，"黛西说，"她真漂亮。"

但是其他一切都让她厌烦——这是不容置疑的，因为这不是一种姿态，而是一种情感。她厌恶西卵村，这个将百老汇搬到长岛渔村的前所未有的"胜地"，厌恶它那生机勃勃的活力在传统而儒雅的外表下躁动，厌恶它莽撞地引领当地居民寻得人生捷径，却从白手起家又到一无所获。她正是在这种无法理解的单纯中，看到了可怕之处。

他们等车的时候，我和他们一起坐在门前的台阶上。这里一片漆黑，只有敞开的门向幽暗的黎明投下十平方英尺的亮光。有时楼上化妆间的窗户上有人影闪过，一个接着一个，那是不断有人对着一面从这里看不到的镜子涂脂抹粉。

　　"这个盖茨比到底是谁？"汤姆突然问，"大私酒贩子？"

　　"你从哪儿听来的？"我问道。

　　"不是听来的，我是猜的。很多这种财富新贵都不过是个私酒贩子，你知道。"

　　"盖茨比不是。"我简短地回答。

　　他沉默了一会儿。车道上的小石子在他脚底下喀嚓作响。

　　"我说，他一定花了很大力气才弄来这样一帮有头有脸的家伙。"

　　一阵微风吹动了黛西毛茸茸的灰色领子。

　　"至少他们比我们认识的人有趣多了。"她有点勉强地说。

　　"可你看上去并不感兴趣。"

　　"哦，我感兴趣。"

　　汤姆笑着转向我。

　　"那个女孩让黛西帮她洗冷水澡的时候，你有没有注意到黛西的表情？"

　　黛西开始跟着音乐小声唱起来，声音沙哑而有节奏，将每一个词都唱出世间难有的韵味。当曲调升高，她的嗓音也跟着美妙地上扬，像女低音一般婉转起伏，每一点变化都向空气中散发出她那温暖的人性魅力。

　　"很多人都不是被邀请来的，"黛西突然说，"那个女孩就不是。

他们直接闯上门来，他只是太客气，不好意思拒绝。"

"我想知道他是什么人，是干什么的，"汤姆坚持道，"我一定会搞清楚。"

"我现在就可以告诉你。"她回答，"他开药店，开了很多家。都是自己一手创办的。"

姗姗来迟的豪华轿车沿着车道开了过来。

"晚安，尼克。"黛西说。

她的目光离开了我，朝着灯光照亮的顶层台阶看过去，一支当年流行的伤感动听的小华尔兹舞曲《凌晨三点钟》正从敞开的大门传出来。盖茨比的晚宴上那悠然的情调蕴含着一种浪漫，而这终究是她的世界里所缺失的。那曲子中有什么东西似乎在召唤她回去？在这幽暗而不可思议的时辰里，又会发生怎样的事情？或许某位艳惊四座的客人会翩然而至，某位绝代佳人，某位真正光彩夺目的少女，只要看上盖茨比一眼，只要刹那间的神奇邂逅，便可将五年来那矢志不渝的深情一笔勾销。

那一夜我待到很晚。盖茨比让我等到他空闲下来，于是我就在花园里徘徊，一直等到常来游泳的客人打着寒战、兴奋地从黑漆漆的海滩上岸，等到楼上客房的灯全都熄灭。当他终于从台阶上走下来，他脸上晒得黝黑的皮肤比往常绷得更紧，双眼明亮却带着倦意。

"她不喜欢这些。"他直截了当地说。

"她当然喜欢。"

"不喜欢，"他坚持道，"她玩得不开心。"

他沉默下来，我感觉到他那难以名状的沮丧。

"我觉得离她很远,"他说,"很难让她明白。"

"你是说跳舞的时候吗?"

"跳舞?"他打了个响指,把所有他跳过的舞都一笔勾销了,"Old sport,跳舞并不重要。"

他想要黛西做的,仅仅是让她跟汤姆说:"我从来没有爱过你。"等她用这句话抹去四年婚姻生活的痕迹,他们就可以决定采取哪些更实际的措施。其中之一便是,等她自由之后,他们要回到路易斯维尔,在她家结婚——就好像是五年以前一样。

"可是她不理解,"他说,"她以前能够理解的。我们常常在一起坐上几个小时——"

他停下来,开始在遍地是果皮、丢弃的小礼物和踩烂的鲜花的小道上走来走去。

"要是我,就不会对她要求太高,"我冒昧地说,"往昔不能重现了。"

"往昔不能重现?"他难以置信地喊道,"当然能!"

他躁动地向四周张望,仿佛往昔就隐藏在这所房子的阴影里,触手可及。

"我会把一切还原到以前的模样,"他坚定地点点头,"她会看到的。"

他滔滔不绝地说着过去的事,我觉察到他想修复什么,也许是他爱黛西的那种心境。从那时起,他的生活一直是困惑而凌乱的,但如果能够回到开始的某个地方,慢慢地重新再来一遍,他就能找到他想修复的东西……

……五年前，一个秋天的夜晚，他们走在落叶纷纷的路上，来到一处没有树木的地方，人行道被月光照得发白。他们停下脚步，转身面向对方。夜色清凉，空气中洋溢着神秘的兴奋，是一年两度季节更替时才有的气氛。房子里静谧的灯光朝着外面的黑暗低声吟唱，繁星间一片喧哗与悸动。盖茨比用眼角的余光看见，一段段人行道仿佛搭成一架梯子，直通向树顶上空一处秘密的地方——他可以攀登上去，如果他独自一人，一旦登上去，便可以吮吸生命的乳汁，大口咽下那无与伦比的神奇浆液。

　　黛西那白皙的脸庞贴近他的脸时，他的心跳愈来愈快。他知道当他亲吻了这个女孩，并把他难以名状的憧憬和她短暂的生命气息交织在一起，他的心灵就再也不会像上帝的心灵那样无拘无束了。所以他等待着，再倾听一会儿那已经在一颗星上敲响的音叉。然后，他吻了她。经他的嘴唇一碰，她就像一朵含苞的花一样为他绽放了，这个理想的化身就此完成。

　　他所说的一切，以及那无以复加的感伤，都让我想起了什么——很久以前在哪里听到过的一段难以捉摸的节奏，几句零落的歌词。有一瞬间，一个词快到嘴边，我的双唇像哑巴一样张开，仿佛除了一丝受惊的空气之外，还有别的什么挣扎着要出来。但是嘴唇没有发出声音，而我几乎要记起的东西也就沉落在这无言中，永远无法传达了。

第七章

当人们对盖茨比的好奇心到达顶点的时候，一个星期六的晚上，他家的灯没有点亮。于是，他作为特立马乔①的生涯莫名其妙地结束了，一如当初莫名其妙地开始。我慢慢才注意到，那些乘兴而来的汽车，在他家车道上只逗留了一会儿，便扫兴地开走。我担心他是不是病了，决定过去看看——一个面目凶恶的陌生管家站在门口怀疑地斜眼看着我。

"盖茨比先生病了吗？"

"没有。"停了一下，他才慢吞吞地勉强加了一句"先生"。

"我好久没看见他了，非常担心。告诉他卡拉韦先生来过。"

"谁？"他粗鲁地问道。

"卡拉韦。"

---

① 古罗马作家皮特罗尼斯的作品《讽刺篇》中一个大宴宾客的暴发户。

"卡拉韦。好的，我告诉他。"

他猛地一下把门撞上。

我的芬兰女佣告诉我，一个星期以前盖茨比解雇了他家的所有用人，又另外雇了五六个，这些人从来不到西卵村去采购，顺便收取店主的贿赂，而只是打电话订购适量的日用品。据杂货店的送货员说，他家厨房看上去就像个猪圈。村里人普遍认为，新来的人根本就不是用人。

第二天盖茨比打电话给我。

"你要出门去吗？"我问道。

"不是，old sport。"

"我听说你把所有用人都辞退了。"

"我想要些不会说三道四的人。黛西经常过来—— 一般都在下午。"

如此说来，因为她不喜欢，这整座大酒店就像纸牌搭的房子一样坍塌了。

"他们是沃尔夫山姆想帮助的人，都是哥们儿姐们儿，一起开过一家小酒店。"

"我明白了。"

是黛西让他打电话来的——问我明天能不能去她家吃午餐。贝克小姐也会去。半个小时之后黛西自己也打了过来，听说我会去，她似乎松了一口气。一定出了什么事。然而我还是不能相信，他们会选择这样一个场合来会面——特别是盖茨比曾经在花园里描绘过这种尴尬的场面。

第二天，酷暑难耐，几乎是夏季里最后当然也最炎热的日子。当我乘坐的火车从隧道里驶进阳光中，只听见全国饼干公司那尖利的汽笛声打破了中午闷热的寂静。车座上的草垫子热得快要着火了。坐在我旁边的一个女人起初还很矜持，任汗水浸透她的白衬衫，但当手上的报纸也被手指捏湿的时候，她无可奈何地长叹一声，在酷热中绝望地往后一倒。她的钱包啪的一声掉在了地上。

　　"啊呀！"她倒抽一口气。

　　我疲倦地弯下腰捡起来，递还给她。我把胳膊伸得远远的，捏住钱包的小小一角，表示我别无企图。可是旁边的每一个人，包括那个女人，还是一样怀疑我。

　　"热！"查票员对那些熟悉的面孔说，"什么鬼天气！……太热！……太热！……太热！……你觉得热吗？热不热？你觉得……"

　　他把车票还给我，上面留下了他的黑汗渍。在这酷热的天气里，还有谁关心他亲吻了哪个人的红唇，谁的脑袋依偎在他怀里，弄湿了他睡衣胸前的口袋！

　　……盖茨比和我站在门口等待的时候，一阵微风吹过布坎南家的前厅，传来了电话的铃声。

　　"主人的尸体！"管家对着话筒吼道，"抱歉，夫人，我们交不出来，大中午的太热了，没法碰啊！"

　　其实他说的是："好的……好的……我去看看。"

　　他放下话筒，向我们走来，头上渗着汗珠，双手接过我们的硬草帽。

　　"夫人在客厅里等你们！"他一边喊一边没有必要地指着方向。

在这炎热的天气里，每一个多余的手势都是对生命储备的一种浪费。

这间屋子在遮阳篷的挡蔽下，阴暗又凉爽。黛西和乔丹躺在一张巨大的沙发上，像两座银像压住自己白色的衣裙，不让电扇的风把它们吹起来。

"我们动不了。"她们俩一起说。

乔丹那晒黑的手指搽了一层白粉，在我的手掌里放了一会儿。

"运动健将托马斯·布坎南①先生呢？"我问道。

就在这时我听见了他的声音，粗鲁、低沉而沙哑，在前厅里讲着电话。

盖茨比站在绯红的地毯中央，用着迷的眼神四处张望。黛西看着他，发出甜蜜而动人心弦的笑声，一缕香粉从她的胸口飘散到空中。

"有传言说，"乔丹悄悄地说，"电话那边是汤姆的情人。"

我们沉默。前厅的声音恼火地升高起来："那很好，我压根儿就不会把车卖给你了……我根本就不欠你什么人情……你在午餐时间这样打扰我，我可受不了！"

"挂了话筒说话。"黛西冷笑道。

"不，不是的，"我向她保证，"真的有这笔交易。我刚好知道这事儿。"

汤姆猛然打开门，他健壮的身躯霎时间堵住了门口，接着他快步走进屋里。

---

① 即汤姆·布坎南，汤姆（Tom）是托马斯（Thomas）的昵称。

"盖茨比先生！"他伸出宽大而扁平的手，巧妙地隐藏起心中的不悦，"见到你真高兴，先生……尼克……"

"给我们来点冷饮吧。"黛西喊道。

他再次离开房间后，她站起来走到盖茨比身边，拉近他的脸庞，亲吻了他的嘴唇。

"你知道我爱你。"她喃喃地说。

"你忘记还有位女士在场了。"乔丹说。

黛西疑惑地转头看看。

"你也亲亲尼克吧。"

"多么低俗下流的女孩！"

"我不在乎！"黛西喊道，开始在砖砌的壁炉前跳起舞来。然后她想起天气很热，便不好意思地坐回了沙发上。这时，一个衣着干净的保姆领着一个小女孩走进房间。

"心肝——宝贝哟，"黛西嗲声嗲气道，伸出双臂，"到妈妈这儿来，妈妈疼你。"

保姆一松手，孩子就从房间那头跑过来，害羞地一头埋进妈妈的裙子里。

"我的心肝——宝贝哟！妈妈有没有把粉粉弄到你的小黄头发上？站起来，说——你们好。"

盖茨比和我轮流弯下身去，握了握那只不太情愿伸出的小手。然后盖茨比就一直吃惊地看着孩子，我想他从来没有真正相信过她的存在。

"我午餐前就穿好衣服啦。"孩子满心热切地转向黛西说。

"那是因为妈妈想让你出来炫耀一下。"她低下头用脸贴着女儿那白嫩的脖颈上唯一的褶皱,"你啊,你个宝贝。你真是个梦幻的小宝贝。"

"是的,"孩子平静地答道,"乔丹阿姨也穿了一条白色的裙子。"

"你喜欢妈妈的朋友吗?"黛西把她转过去,让她面对着盖茨比,"你觉得他们好看吗?"

"爸爸在哪儿?"

"她长得不像她爸爸,"黛西解释道,"她像我。头发和脸型都像我。"

黛西向后靠在沙发上。保姆上前一步拉住孩子的小手。

"过来,帕米。"

"再见,甜心儿!"

孩子很乖,不情愿地扭头看了一眼,抓住保姆的手,被拉着走出门去。这时汤姆进来了,领着用人端来了四杯杜松子利克酒,里面满满的冰块喀嚓作响。

盖茨比接过一杯。

"看上去一定很凉。"他说道,显然有些紧张。

我们迫不及待地大口大口喝起来。

"我在什么地方看到过,太阳一年年会越来越热,"汤姆温和地说,"看来地球很快就会掉进太阳里去,等等,也许是相反——太阳一年年越来越冷。"

"到外面来吧,"他向盖茨比建议道,"我想请你看看我这里。"

我和他们一起来到门廊。碧绿的海湾上,一切都在酷热中停滞了，只有一艘小帆船慢慢地朝新鲜的海域移动。盖茨比的目光追随着这艘船，然后他抬起手，指向海湾对面。

"我就住在你们正对面。"

"可不是嘛。"

我们的目光越过玫瑰花圃，越过发烫的草坪和海滩上酷热中的杂草丛。那艘小船的白帆正在蔚蓝清凉的天际慢慢移动。前面是扇形的海域和星罗棋布的漂亮岛屿。

"这种运动多好，"汤姆点点头说，"我真想和他一起，到那儿玩上一个小时。"

我们在餐厅共进午餐，这里也很阴凉。强颜欢笑的紧张被我们就着凉啤酒一起喝下肚去。

"今天下午做什么好呢？"黛西大声问道，"明天呢，今后三十年呢？"

"别发神经，"乔丹说，"到了秋天清爽起来，生活就又重新开始了。"

"可是现在好热啊，"黛西固执地说道，简直快要哭出来了，"什么事都一团糟。我们进城去吧！"

她的声音在热浪中挣扎，用力冲撞，将没有知觉的热气塑成各种形状。

"我听说过有人把马厩改造成车库，"汤姆对盖茨比说，"但我是第一个把车库变成马厩的人。"

"谁想进城去？"黛西仍旧问道。盖茨比的目光朝她游移过去。"啊，"她喊道，"你看起来好酷。"

他们四目相接，互相凝视着对方，仿佛周遭再无别人。她好不容易才把视线移回到餐桌上。

"你看上去总是那么酷。"她重复道。

她这是告诉他，她爱他，汤姆·布坎南看出来了。他很是震惊。他微张着嘴唇，看看盖茨比，又看看黛西，好像刚刚认出这是他很久以前认识的一个人。

"你很像广告里的一个人，"她继续天真地说，"你知道广告里那个——"

"好啦，"汤姆连忙打断，"我非常愿意进城去。走吧——我们都到城里去。"

他站起身，目光仍然在盖茨比和他的妻子间闪来闪去。没有人动。

"走呀！"他有点发脾气了，"怎么回事啊到底？要是想进城去，那就走啊。"

他竭力控制着自己，一只手颤抖着把杯中剩下的啤酒送到嘴边喝掉。黛西说了句话，促使我们站起来，走到外面炙热的石子车道上。

"我们这就走吗？"她反对道，"就这样走？不让别人先抽支烟吗？"

"吃饭的时候大家一直都在抽烟。"

"哦，我们开开心心的吧，"她央求他，"天气太热，别闹了。"

他没有作答。

"你说怎样就怎样吧，"她说，"来吧，乔丹。"

她们上楼去作准备，我们三个男人站在那里把滚烫的小石子踢来踢去。一弯银月已经悬挂在西边的天上。盖茨比刚要开口说话，又改变了主意，可是汤姆已经转过身来期待地面对着他。

"你的马厩就在这儿吗？"盖茨比勉强说道。

"沿着这条路大概四分之一英里的地方。"

"哦。"

一阵停顿。

"我真不明白到城里去干吗，"汤姆粗蛮地脱口而出，"女人总是心血来潮……"

"我们带点什么喝的吗？"黛西从楼上的窗口喊道。

"我去拿点威士忌。"汤姆边回答边走了进去。

盖茨比僵直地转向我，"我在他家什么话也说不了，old sport。"

"她说话很不注意，"我说道，"全都是——"我犹豫了一下。

"全都是钱。"他突然说。

确实如此。我以前没有明白。全都是钱——这是她抑扬顿挫的声音中永不衰竭的魅力，金钱丁当的声音，铜钹撞击的声音……在一座白色的宫殿里高高在上，国王的女儿，披金戴银的女郎……

汤姆从屋子里走出来，用毛巾包着一瓶一夸脱的酒，黛西和乔丹跟在后面，两人都戴着金属丝编织的紧紧的小帽子，手臂上搭着薄纱披肩。

"大家都坐我的车去吧？"盖茨比建议道。他摸着那发烫的绿皮车座。"我应该把它停在树荫下。"

"这车是用标准排挡吗？"汤姆问道。

"对。"

"嗯，那你开我的小轿车，让我开你的车进城吧。"

盖茨比并不喜欢这个建议。

"我担心汽油不够。"他反对道。

"还多着呢。"汤姆粗声大气地嚷着。他看看油表。"如果用完了，我可以在药店停车。这年头药店里什么都买得到。"

听了这句明显没有意义的话，大家都沉默了片刻。黛西皱着眉头看看汤姆，盖茨比的脸上掠过一种难以名状的表情，非常陌生又似曾相识，好像我以前只听别人用语言描述过。

"来吧，黛西，"汤姆说着把她推向盖茨比的车，"我开这辆马戏团花车带你去。"

他打开车门，但是她从他的臂弯里走开了。

"你带上尼克和乔丹。我坐小轿车跟在后面。"

她走近盖茨比，用手碰了碰他的上衣。乔丹、汤姆和我坐进了盖茨比那辆车的前座，汤姆试着推了推不熟悉的排挡，然后我们就冲进令人压抑的热浪中，把他们甩在了视线之外。

"你们看见了吗？"汤姆问道。

"看见什么？"

他敏锐地看着我，意识到乔丹和我一定早就知道个中隐情。

"你们以为我很傻，是吧？"他说，"也许我是傻，不过我有——可以算是第二视觉，有时候，它告诉我该怎么办。可能你们不相信，但是科学——"

他收住话头。眼下的意外事态紧急，把他从理论深渊的边缘拉了回来。

"我对这家伙调查了一番，"他继续道，"还可以调查得更深入些，如果我知道——"

"你是说你找过巫师吗？"乔丹幽默地问。

"什么？"他困惑地盯着哈哈大笑的我们，"巫师？"

"去问盖茨比的事。"

"问盖茨比的事！不，我没有。我是说，我在调查他的过去。"

"然后你发现他是牛津大学毕业的。"乔丹帮腔道。

"牛津毕业的！"他完全不相信，"是个鬼！瞧他穿的那套粉红衣服。"

"不过他还是上过牛津的。"

"新墨西哥州的牛津镇吧，"汤姆轻蔑地哼了一声，"或者类似的什么地方。"

"听着，汤姆。既然你这么瞧不起人，干吗还请他吃午餐？"乔丹生气地问。

"黛西请他的。我们结婚之前她就认识他了——天知道在哪儿认识的！"

啤酒的酒劲过了，我们都感到很烦躁，意识到这一点，大家闷不作声地往前开了一会儿。当 T. J. 埃克尔堡医生暗淡的眼睛在路旁出现的时候，我想起盖茨比提醒过汽油不够的事。

"这些油足够我们开到城里去。"汤姆说。

"可是前面就有个车铺呢，"乔丹反对道，"我可不想在这大热天熄火。"

汤姆不耐烦地踩下两个刹车，车子在猛然扬起的尘土中滑行了一段,停在威尔逊的招牌下面。过了一会儿,老板从车铺里走了出来,眼神空洞地盯着车子。

"给我们加点油!"汤姆粗野地喊道,"你以为我们停下来干吗——看风景呢?"

"我病了,"威尔逊一动不动地说,"病了一整天了。"

"怎么啦?"

"全身都散架了。"

"那么要我自己动手吗?"汤姆问道,"你在电话里听起来没事啊。"

倚在门口的威尔逊吃力地从阴凉处走出来,喘着粗气拧下汽油箱的盖子。在阳光底下,他的脸色发青。

"我不是有意打扰你吃午餐。"他说,"但是我很需要钱,所以想知道你那辆旧车打算怎么办。"

"你喜欢现在这一辆吗?"汤姆问,"我上个星期买的。"

"这辆黄色的很好看。"威尔逊说着,用力握住加油嘴的把手。

"想买吗?"

"可能吗,"威尔逊有气无力地笑着,"不买,不过我可以在那辆车上赚点钱。"

"你突然想要钱干什么?"

"我在这儿待得太久了,想离开这里。我老婆和我想到西部去。"

"你老婆想去?"汤姆吃惊地喊道。

"这事儿她念叨了有十年了。"他倚着加油泵休息了一会儿,用手遮住眼睛,"现在不管愿不愿意,她都得去。我要让她离开这儿。"

那辆小轿车从我们身边疾驰而过，扬起一阵尘土，车里的人挥了挥手。

"该给你多少钱？"汤姆粗暴地问。

"最近两天我才发现了一些蹊跷的事，"威尔逊说，"所以我要搬走。因此才为那辆车打扰你。"

"该给你多少钱？"

"二十美元。"

无情的热浪滚滚袭来，开始把我搞得头晕眼花，浑身不适。过了一会儿我才意识到，到那时为止威尔逊还没有怀疑到汤姆身上。他发现了默特尔在与他隔绝的另一个世界有自己的生活，这个打击使他大病一场。我盯着他看看，又盯着汤姆看看，汤姆在不到一小时前也刚有同样的发现——我突然觉得，人们在智力和种族上的差异，远不如病人和健康人之间的差异大。威尔逊病得很厉害，就像犯下了什么罪孽一样，不可饶恕的罪孽——好比刚把一个可怜的姑娘肚子搞大。

"我会把那辆车卖给你，"汤姆说，"明天下午给你送来。"

那一带地方总让人有点不安，即使在下午耀眼的阳光里也一样，所以我扭过头去，仿佛有人让我小心背后似的。灰堆上方，T. J. 埃克尔堡医生那双巨大的眼睛依然在守望着，不过过了一会儿，我发现不到二十英尺之外，另有一双眼睛正聚精会神地注视着我们。

车铺楼上的一扇窗前，窗帘拉开了一点，默特尔·威尔逊正偷偷窥视着下面这辆车。她是如此投入，没有意识到别人在关注她，各种各样的表情不断地在她脸上出现，就像一个个物体在一张正冲洗的底片上慢慢显影。她的表情熟悉得有点奇怪——虽然在女人的脸上很常见，可是在默特尔·威尔逊的脸上，那表情却毫无意义又令人费解，直到我发现她那双因忌妒和恐惧而瞪大的眼睛并没有盯在汤姆身上，而是盯着乔丹·贝克，原来她误以为乔丹是他的妻子。

一个简单的头脑如果陷入混乱，那可非同小可。我们离开车铺之后，汤姆感到一阵恐慌，就像被灼热的鞭子抽打一般。一个小时以前，他的妻子和情妇还是安安稳稳、不容侵犯的，现在却一下子都脱离了他的掌控。他本能地加大油门，既为了赶上黛西，也为了把威尔逊远远地甩在后面。我们以每小时五十英里的速度朝着阿斯托里亚疾驰而去。直到开进高架铁路蜘蛛网般的钢架之间，我们才看见那辆悠然自得的蓝色小轿车。

"五十号街附近那些大电影院很不错。"乔丹提议道，"我爱夏天午后的纽约，人们都跑去别处了。它是那么性感———一种熟透的滋味，好像各种神奇的果实纷纷掉落到你手里。"

"性感"这个词让汤姆更加惴惴不安，但他还没来得及抗议，那辆小轿车就停了下来，黛西示意让我们开上去停在一起。

"我们去哪儿啊？"她喊道。

"去看电影怎么样？"

"好热，"她抱怨着，"你们去吧。我们去兜兜风，待会儿再和你们碰面。"她好不容易又想出了两句牵强的俏皮话："我们在另一个路口跟你们碰头。我就是那个抽着两支烟的男人。"

"我们没法在这儿讨论。"汤姆不耐烦地说，后面有辆卡车狠狠地按着喇叭，"你们跟着我开到中央公园南边，广场酒店前面。"

他好几次转过头去看他们那辆车子，如果交通阻隔了他们，他就放慢车速，直到他们出现在视野里。我想他是害怕他们会拐入一条小街，从此永远从他的生活中消失。

但是他们没有。而我们所有人做出了一个更让人难以理解的举动——在广场酒店租了一个套房的客厅。

直到我们都进了客厅，一场冗长而激烈的争论才停了下来。我现在已经弄不清是怎么回事了，只清晰地记得在争吵的过程中，我的内裤像一条湿漉漉的蛇绕着我的腿来回爬，汗珠不停地往下淌，凉凉地滑过我的脊背。黛西突发奇想，提议我们租五间浴室洗个冷水澡，然后又变为更实际的方案——找个"喝杯凉薄荷酒的地方"。每个人都反反复复说，这是个"糟糕的主意"——大家对着一个不知所措的侍者你一言我一语，还以为，或者假装以为这样挺有趣……

那间屋子又大又闷，虽然已是四点钟，打开窗户却只有从公园的灌木丛吹来的一丝热风。黛西走到镜子前面，背对着我们，打理她的头发。

"这套间真高档啊。"乔丹恭敬地小声说，我们都笑了起来。

"再开一扇窗。"黛西头也不回地命令道。

"没有窗户了。"

"这样的话，我们最好打电话要把斧头——"

"你最好忘掉这大热天，"汤姆不耐烦地说，"你再说个不停，只会热上十倍。"

他打开毛巾，把那瓶威士忌拿出来放在桌上。

"干吗老找她的茬呢，old sport，"盖茨比说道，"是你自己想到城里来的。"

沉默了一阵。电话簿从钉子上滑下来，啪的一声掉在地板上，而乔丹小声说了句"对不起"，不过这次没有人笑。

"我来捡。"我抢着说。

"我捡起来了。"盖茨比仔细看了看断开的绳子，好像在意似的嘟哝了一句"噢"，然后把电话簿扔到了椅子上。

"那是你得意的口头禅，对吧？"汤姆不客气地问。

"什么？"

"一口一个'old sport'，你从哪儿学来的？"

"听着，汤姆，"黛西从镜子前转过身来，"如果你想搞人身攻击，我一分钟也不会在这儿待下去。打个电话，叫点冰来做薄荷酒吧。"

正当汤姆拿起话筒，一阵响声从令人窒息的热气中爆发出来——楼下的舞厅传来惊心动魄的和弦，是门德尔松的《婚礼进行曲》。

"这么热居然还有人结婚！"乔丹阴郁地说道。

"不过，我就是在六月中旬结婚的，"黛西回忆道，"六月的路易斯维尔！有人晕倒了。谁晕倒来着，汤姆？"

"比洛克西。"他简短地答道。

"一个叫比洛克西的男人。'木头人'比洛克西，他是做盒子^①的，而且是田纳西州比洛克西市的人。"

"他们把他抬到我家，"乔丹补充道，"因为我家跟教堂只隔着

---

① "比洛克西"（Biloxi）、"木头人"（blocks）和"盒子"（boxes）在英语里是谐音。

两户人家。他一下待了三个星期，直到爸爸让他走。他走后第二天，爸爸就去世了。"停了一会儿她又加了一句："不过这两件事没什么关系。"

"我以前认识一个叫比尔·比洛克西的，是孟菲斯人。"我说道。

"那是他堂兄弟。他走之前我了解了他整个家族的历史。他送给我一根高尔夫球的轻击棒，我到今天还在用。"

婚礼开始了，音乐渐渐停息。窗口飘来长长的欢呼声，然后是一阵阵"耶——耶——"的赞美，最后爵士乐奏响，开始跳舞了。

"我们都老了，"黛西说，"不然的话，我们也会起来跳舞的。"

"我们在说比洛克西，"乔丹提醒她，"你是在哪儿认识他的，汤姆？"

"比洛克西吗？"他全神贯注地想了一会儿，"我不认识他。他是黛西的一个朋友。"

"不是，"她否认道，"我以前从没见过他。他是坐你的专车来的。"

"可是，他说他认识你，说他在路易斯维尔长大。阿莎·伯德在最后一分钟把他带了进来，问我们还有没有地方坐。"

乔丹笑了。

"他大概是想蹭车回家。他告诉我，他在耶鲁是你们的班长。"

汤姆和我茫然地看着对方。

"比洛克西？"

"首先，我们根本就没有班长——"

盖茨比的脚在地板上连续短促地踢踏了几下，汤姆突然把目光转向他。

"说起来，盖茨比先生，听说你上过牛津大学。"

"不完全是。"

"哦，是的，我听说你上过牛津。"

"对——我去过那儿。"

一阵停顿。然后汤姆用怀疑和侮辱的口气说："你一定是在比洛克西去纽黑文的时候上的牛津吧。"

又一阵停顿。一个侍者敲了敲门，端着碎薄荷叶和冰块走了进来，但是他的"谢谢"和轻轻的关门声也没有打破沉默。一个重要的细节终于要被澄清了。

"我跟你说了，我去过那儿。"盖茨比说。

"我听见了，但我想知道是什么时候。"

"那是一九一九年。我只待了五个月。所以我不能自称是真正的牛津校友。"

汤姆向四周扫了一眼，看看我们脸上有没有和他一样怀疑的表情。但我们都在看着盖茨比。

"那是停战之后他们为一些军官提供的机会，"他继续道，"我们可以去英国和法国的任何一所学校。"

我想站起来拍拍他的后背。我又一次感到对他完全的信任，一如我之前体验过的那样。

黛西起身，微微一笑，走到桌子前。

"打开威士忌，汤姆，"她命令道，"我给你做杯薄荷酒。然后你就不会觉得自己这么蠢了……看看这些薄荷叶！"

"等会儿，"汤姆厉声说，"我想再问盖茨比一个问题。"

"请继续。"盖茨比礼貌地说。

"你到底想在我家闹腾个什么？"

这件事终于被挑明了，盖茨比也很满意。

"他没有闹腾，"黛西无望地看看这个又看看那个，"是你在闹腾，请你控制一下自己。"

"控制自己！"汤姆难以置信地重复道，"我看最时兴的做法就是干坐着，让一个来路不明的无名小子跟你老婆勾勾搭搭吧。好，如果你是那个意思，那你可以把我除外……这年头大家根本不把家庭生活和家庭制度当回事，我看下一步就该抛弃一切，让白人和黑人通婚了。"

他情绪激动，语无伦次，满脸通红，俨然一副独自站在文明最后一道壁垒上的样子。

"我们这儿都是白人嘛。"乔丹低声说。

"我知道我不得人心。我不会办大型宴会。我想你为了结交朋友，已经把自己家搞成猪圈了吧，在这现代社会！"

尽管我和大家一样感到气愤，但他每次一张口我就想笑。一个浪荡子就这么摇身一变成了卫道士。

"我也有话对你说，old sport。"盖茨比说。但是黛西猜到了他想说什么。

"求你别说了！"她无助地打断他，"我们都回家吧。我们都回家不好吗？"

"好主意。"我起身，"来吧，汤姆。没人想喝酒了。"

"我想知道盖茨比先生要告诉我什么。"

"你的妻子不爱你。"盖茨比说，"她从来没有爱过你。她爱的是我。"

"你一定是疯了！"汤姆情不自禁地大声喊道。

盖茨比猛地跳了起来，非常激动。

"她从来没有爱过你，你听到了吗？"他喊着，"她嫁给你只因为我那时很穷，她等我等烦了。这是个天大的错误，但是她在心里从来没有爱过别人，只爱过我！"

到这个地步，乔丹和我都想走了，但是汤姆和盖茨比争着要我们留下，好像他们两人都没有任何要隐藏的秘密，而分享他们的感情也仿佛是件幸事。

"坐下，黛西，"汤姆装出父辈的口吻，可是并不成功，"到底发生了什么？我想知道整个过程。"

"我来告诉你发生了什么，"盖茨比说，"已经发生五年了，只是你不知道而已。"

汤姆猛然转向黛西。

"你五年来一直跟这家伙见面？"

"没有见面，"盖茨比说，"不，我们无法见面。但是我们一直都爱着对方，old sport，只是你不知道。我有时候会笑——"但是他眼睛里没有一丝笑意，"想到你连这个都不知道。"

"哦，就这些啊。"汤姆像牧师一样把他的粗手指合拢在一起，然后靠在椅背上。

"你疯了！"他突然爆发，"五年前的事儿我没法说，那时候我还不认识黛西，但是我真他妈的想不明白你怎么能沾上她的边，除

148

非你是送杂货的，送到过她家后门。但其他一切都他妈的是谎言。黛西跟我结婚的时候就爱我，她现在还爱。"

"不。"盖茨比摇摇头说。

"可她就是爱我。问题只在于她有时候会犯傻，不知道自己在干些什么。"他胸有成竹地点点头，"而且我也爱黛西。有时候我也出去找找乐子，干点蠢事，但我总会回来的，我在心里永远都爱着她。"

"你真让人恶心。"黛西说。她转向我，声音低了一个八度，整个屋子都充满了她令人惊异的挖苦声："你知道我们为什么离开芝加哥吗？我真奇怪他们没给你讲过，他都找了些什么小乐子！"

盖茨比走过来，站在她身旁。

"黛西，现在都结束了。"他热切地说，"一切都不重要了。告诉他真相吧，告诉他你从来没爱过他，将这一切彻底了结。"

她茫然地看着他。"是啊，我怎么会爱他，怎么可能呢？"

"你从来没有爱过他。"

她犹豫了。她的眼神哭诉一般落在我和乔丹身上，好像她终于明白了自己在做什么——好像她自始至终压根儿没有打算要做什么。但是现在事情已经发生，为时已晚了。

"我从来没有爱过他。"她说，显然有些勉强。

"在卡匹奥拉尼也没爱过吗？"汤姆突然问道。

"没有。"

楼下的舞厅里，沉闷而压抑的和弦声随着空气中的热浪飘了上来。

"那天为了不弄湿你的鞋,我把你从'潘趣杯'号游艇上抱下来,你也不爱我吗？"他的嗓音里有一股沙哑的柔情,"……黛西？"

"请别说了。"她的声音是冷淡的,但是怨恨已经消失。她看着盖茨比。"听着,杰伊。"她说。她想点支烟,可是手却在发抖。她干脆把烟和点着的火柴都扔到地毯上。

"噢,你要得太多了！"她冲盖茨比喊道,"我现在爱你,这还不够吗？过去的事我无法挽回。"她开始无助地抽泣起来,"我以前的确爱过他,但是我也爱你。"

盖茨比的眼睛睁开了,又闭上。

"你也爱我？"他重复道。

"连这也是个谎言,"汤姆恶狠狠地说,"她根本不知道你还活着。跟你说,黛西和我之间有很多你不知道的事情,我们俩永远也不会忘记。"

这句话似乎深深地刺痛了盖茨比。

"我想跟黛西单独谈谈。"他坚持道,"她现在太激动了——"

"即使单独谈,我也不能说从没爱过汤姆,"她用悲凄的声调承认道,"这不是真话。"

"当然不是。"汤姆附和道。

她转向她的丈夫。

"就好像你还在乎似的。"她说。

"我当然在乎。从现在开始我要更好地照顾你。"

"你不明白,"盖茨比有点慌张,"你不能再照顾她了。"

"我不能？"汤姆睁大眼睛,放声大笑。他现在可以控制自己了。

"为什么啊？"

"黛西要离开你了。"

"胡说。"

"不过，我是要离开你了。"显然她费了很大力气说出这句话。

"她不会离开我！"汤姆突然劈头盖脸地对盖茨比吼道，"她绝不会为了一个招摇撞骗的家伙离开我，你给她戴在手上的戒指都是偷来的。"

"我受不了了！"黛西喊道，"哦，我们走吧。"

"你到底是什么人？"汤姆脱口而出，"你是跟迈耶·沃尔夫山姆混在一起的货色，我碰巧知道这些。我对你作了点调查，明天还会了解更多。"

"这个你请自便，old sport。"盖茨比镇定地说。

"我知道你的'药店'都是什么玩意儿。"他转向我们，语速很快，"他和这个沃尔夫山姆在这儿和芝加哥买下了很多小街上的药店，私自贩卖酒精。这是他的小把戏之一。我第一眼见他就觉得他是个私酒贩子，我还真没猜错。"

"那又怎么样呢？"盖茨比彬彬有礼地说，"我想你的朋友沃尔特·蔡斯跟我们合伙也不觉得丢人嘛。"

"你们把他给坑了，对吧？你们让他在新泽西州坐了一个月的牢。天啊！你应该听听沃尔特是怎么说你的。"

"他来找我们的时候是个穷鬼。他很高兴赚几个钱，old sport。"

"别叫我'old sport'！"汤姆喊道。盖茨比没作声。"沃尔特本来可以告你违犯赌博法的，但是沃尔夫山姆恐吓他，让他闭上了嘴。"

那种既陌生又似曾相识的表情再次出现在盖茨比脸上。

"开药店的事儿不过是小意思。"汤姆继续慢慢地说,"但是你现在又要搞什么名堂,沃尔特不敢告诉我。"

我瞅了黛西一眼,她正惊恐地来回看着盖茨比和她丈夫,还有乔丹——乔丹又开始用下巴顶着一个看不见却引人入胜的物体保持平衡了。然后我转向盖茨比,被他的神情吓了一跳。他看上去好像"杀过一个人"似的,不过我说这话与他花园里那些流言飞语全无关系。只是就在那一瞬,他脸上的表情恰恰可以用这样荒唐的字眼来形容。

这种表情消失后,他开始激动地向黛西倾诉,否认一切,驳斥那些还没有人提出的指控,为自己的名声辩护。但是他的每一句话都让黛西向后退缩,越来越回到自己的世界中去。于是他放弃了,只有那死去的梦想还在随着下午的流逝继续挣扎,拼命想触摸到已不存在的东西,怀着一线希望朝着屋子那头那个缄默的声音苦苦哀求。

那个声音响起,再次央求要走。

"求你了,汤姆!我再也受不了了!"

她惶恐的眼神透露出,不管她曾有过何种意图、何样的勇气,现在绝对都已消失殆尽。

"你们两个回家去吧,黛西,"汤姆说,"坐盖茨比先生的车。"

她看看汤姆,大为惊异。但他却故作大度以示轻蔑,坚持要他们走。

"去呀。他不会给你添烦的。我想他知道他那自作多情的勾引把戏已经玩完了。"

他们两人走了，一句话也没说，转瞬即去，像一对无足轻重、孤立无援的鬼影，甚至也没得到我们的怜悯。

过了一会儿汤姆起身，把那瓶没有打开的威士忌用毛巾包起来。

"来点这玩意儿吗？乔丹……尼克？"

我没回答。

"尼克？"他又问。

"什么？"

"要点吗？"

"不了……我刚想起今天是我的生日。"

三十岁了，新的十年在我面前展开，一条险象环生的路。

我们跟汤姆坐上小轿车回长岛的时候，已经是七点钟了。他一路说个不停，兴奋异常，笑声不断，但他的声音对乔丹和我来说显得非常遥远，就像人行道上的喧闹声或者头顶高架铁路上轰隆隆的车声一样。人类的同情心是有限度的，我们也愿意让他们那些可悲的争论与向后掠去的城市灯光一道渐行渐远。三十岁——等待我的将是孤寂的十年，相熟的单身男子逐渐稀少，浓烈的情感逐渐冷淡，头发也逐渐稀疏。但是我身边有乔丹，与黛西不同，她足够明智，不会背负早已忘却的梦走过一年又一年。我们驶过漆黑的铁桥时，她苍白的脸懒洋洋地靠在我的肩上，她紧紧握住我的手，三十岁生日带给我的巨大冲击随之消散。

我们在逐渐凉爽的暮色中向死亡驶去。

年轻的希腊人米凯利斯在灰堆旁边开了一家咖啡馆，他是后来案件审理时的主要见证人。那天天气太热，他一觉睡到下午五点。当他溜达到车铺的时候，发现乔治·威尔逊在办公室里病倒了——真的病了，脸色像他的头发一样苍白，全身都在发抖。米凯利斯建议他上床睡觉，但是威尔逊不肯，他担心一旦睡着就会错过很多生意。这位邻居正在劝他的时候，楼上突然大吵大闹起来。

"我把我老婆锁在上面了。"威尔逊不动声色地说，"让她在那儿待到后天，然后我们就搬走。"

米凯利斯很是震惊，做了四年邻居，威尔逊从来不像能说出这种话的人。他总是疲惫不堪的模样：不干活的时候，就坐在门口的椅子上，呆呆地看着路上过往的行人和车辆。不管谁跟他说话，他都会和和气气、无精打采地笑笑。他凡事都听老婆的，自己从不做主。

因此米凯利斯很自然地想知道发生了什么事，但是威尔逊丝毫不肯透露，反倒用好奇、怀疑的目光打量起这位客人来，盘问他某些日子的某段时间在做什么。正当米凯利斯感到不自在的时候，有几个工人从门口路过，朝他的餐馆走去，于是他借机离开，打算过一会儿再来。但他并没有再来。他想他大概忘了，仅此而已。七点多，他再走出门时，才想起之前的谈话，因为他听见威尔逊太太在车铺楼下破口大骂。

"打我呀！"他听见她喊道，"把我摔到地上狠狠打吧，你个窝囊废、胆小鬼！"

过了一会儿，她冲出门来，奔向黄昏中，一边挥手一边叫喊。他还没来得及离开门口，事情就发生了。

那辆"肇事车"（这是报纸上的提法）停都没停。它从渐浓的暮色中突然出现，略微迟疑了片刻，紧接着就消失在下一个路口。马弗洛·米凯利斯连车子的颜色都没看清，他告诉第一个警察说是浅绿色。另一辆开往纽约的车在一百码以外停了下来，司机匆忙跑回出事地点。默特尔·威尔逊惨死在马路当中，她双膝跪地，浓浓的黑血渗进了土里。

米凯利斯和这个司机最先赶到她身旁，但当他们撕开她汗淋淋的衬衫时，发现她左边的乳房已经松垮地耷拉下来，便知道没有必要去听心跳了。她的嘴大张着，嘴角撕破了一点，好像她身体里无比旺盛的精力储存了太久，在释放的瞬间被哽了一下。

离事发地还有一段距离，我们就看到前面有三四辆汽车和一大群人。

"出车祸了！"汤姆说，"好啊，威尔逊终于有点生意了。"

他放慢车速，但并没打算停下，直到开得更近一点，车铺门口那群人肃穆而关切的神情才让他不由自主地踩了刹车。

"我们去看看，"他疑惑地说，"就看一眼。"

这时我听到空洞的哀号声一阵阵地从车铺里传出来，等我们下了小轿车，走向门口时，那哀号又变成一遍遍上气不接下气的悲叹："哦，我的上帝啊！"

"这儿有大麻烦了。"汤姆兴奋地说。

他踮着脚尖从一圈人的头顶上朝车铺里望去，车铺的天花板上只亮着一盏发黄的灯，挂在摇摇晃晃的铁丝罩里。他粗犷地吼了一声，两只强壮的胳臂使劲一推，挤进了人群。

被扒开的人群又合拢起来，传出一阵阵含混的劝慰声。有一两分钟我什么都看不见，直到新来的人把圈子挤乱，乔丹和我突然被拥了进去。

默特尔·威尔逊的尸体裹在一条毯子里，外面又包了一条，好像在这炎热的晚上她也会怕冷似的。她躺在靠墙的一张工作台上，汤姆背对着我们，一动也不动地弯腰看着。他旁边站着一位骑摩托车来的警察，正往小本子上登记名字，满头大汗地涂了又改。起初我不知道空荡荡的车铺里回响的高昂而刺耳的呻吟来自何处，后来我看见威尔逊站在办公室高高的门槛上，双手抓住门框，身体前后摇摆。有一个人低声跟他说着什么，不时想把一只手搭在他肩上，但是威尔逊既听不见也看不见。他的目光从那盏摇曳的灯慢慢移到墙边停放着尸体的桌子上，然后又猛地转向那盏灯，不停地发出高亢而可怕的呼号："哦，我的上——帝啊！哦，我的上——帝啊！哦，我的上——帝啊！哦，我的上——帝啊！"

这时汤姆猛地抬起头，用呆滞的目光扫了车铺一眼，然后含糊不清地对警察说了一句话。

"马弗——"警察说，"奥——"

"不对，洛，"米凯利斯更正道，"马弗洛——"

"听着！"汤姆粗暴地低声道。

"洛，"警察说，"洛——"

"格——"

"格——"汤姆的大手突然落在他的肩上，他抬起头道："你想

156

干吗，哥们儿？"

"出什么事了？我想知道出什么事了！"

"她被车撞了，当场死亡。"

"当场死亡。"汤姆呆呆地重复道。

"她跑到马路中央。那狗娘养的停都没停。"

"有两辆车，"米凯利斯说，"一辆过来，一辆过去，明白吗？"

"往哪儿去的车？"警察敏锐地问道。

"两辆车方向不同。嗯，她呢，"他抬起手指向毯子，但是抬到一半又放了下来，"她跑出去，纽约来的那辆车跟她撞了个正着，时速有三四十英里。"

"这个地方叫什么名字？"警察问道。

"没有名字。"

一个脸色苍白、衣着体面的黑人走上前来。

"是辆黄色的车。"他说，"大型的黄色汽车。很新。"

"你看到事故怎么发生的了吗？"

"没有，不过那辆车从我身边开过去，时速超过四十，有五六十英里。"

"过来，告诉我名字。让开点，我要把他的名字记下来。"

这番对话一定有几个词传到了威尔逊的耳朵里，他站在办公室门口摇晃着身体，那揪心的哀号中突然出现新的内容："你不用告诉我那是辆什么车！我知道是什么车！"

我盯着汤姆，看见他肩膀后面那团肌肉在上衣里面紧绷起来。他急匆匆地向威尔逊走过去，站在他面前，用力抓住他的上臂。

"你要冷静下来。"他粗犷的声音里带着一丝安慰。

威尔逊的目光落到汤姆身上。他吓得踮起脚尖，要不是被汤姆扶住，差点就跪倒在地。

"听着，"汤姆轻轻摇晃着他，"我刚刚才从纽约回来，给你带来了我们说过的那辆小轿车。今天下午我开的那辆黄色汽车不是我自己的，你听见了吗？我整个下午都没再看见它。"

只有站在近前的黑人和我能够听见他在说什么，但那位警察也觉察出他声音中的异样，于是用严厉的目光朝这边看过来。

"说什么呢？"他质问道。

"我是他的一个朋友。"汤姆转过头去，双手依然紧紧抓住威尔逊的身体，"他说他认识那辆撞人的车……是黄色的。"

警察隐隐感到有些不对头，他怀疑地看着汤姆。

"你的车是什么颜色？"

"蓝色的，小轿车。"

"我们刚从纽约来。"我说。

一位跟在我们后面不远处的司机确认了这一点，警察于是转过身去。

"好吧，那让我再把那个名字正确地——"

汤姆把威尔逊像玩具一样拎起来，提到办公室里，放在椅子上，然后他走出来。

"来个人到这儿陪他坐坐。"他威严地厉声喝道。他张望着，两个离得最近的人互相看看，不情愿地走进屋去。汤姆在他们身后把门关上，走下一级台阶，目光避开那张桌子。他经过我身边时小声地说："我们走吧。"

他用威武的双臂推开仍在围观的人群，辟出一条道来，我们不自在地穿了过去。一位医生从我们身边急匆匆地走过，手里提着箱子，是半个小时以前有人抱着一线希望请来的。

汤姆开得很慢，直到拐过弯之后，他用力踩下油门，小轿车在夜色中疾驰起来。过了一会儿我听见一声低沉的呜咽，然后看见他泪流满面。

"该死的懦夫！"他抽泣着说，"他连停都没停！"

在一片黑压压、沙沙作响的树林里，布坎南家的房子突然浮现在我们眼前。汤姆在门廊旁边停下，抬头看看二楼。藤蔓之中，两扇窗户里灯光明亮。

"黛西到家了。"他说。我们下车的时候，他看了我一眼，微微皱了皱眉头。

"我应该在西卵村让你下车，尼克。今晚我们没什么事可做了。"

他有了某种变化，说话很严肃，也很果断。我们穿过洒满月光的石子路走向门廊时，他用简短的几句话处理了眼前的情况。

"我打个电话叫出租车送你回家。等车的时候，你和乔丹最好到厨房去，如果你们想吃晚餐，我让他们弄一点。"他打开门，"进来吧。"

"不用了，谢谢。不过得麻烦你帮我叫辆出租车。我在外面等。"

乔丹把手放在我的胳膊上。

"你不进去吗，尼克？"

"不了，谢谢。"

我觉得有点不舒服，想一个人清静一下。可乔丹还是跟我待了一会儿。

"现在才九点半。"她说。

我无论如何也不想进去。今天一整天他们几个人让我受够了，突然间连乔丹也不例外。她一定从我的表情中有所觉察，因为她猛然转过身，跑上门廊的台阶进屋去了。我双手抱着头坐了几分钟，直到听见里面有人打电话，是男管家在叫出租车。我慢慢地沿着车道从房前走开，想到大门口去等。

还没走上二十码就听见有人喊我的名字，是盖茨比从两个灌木丛中间走了过来。那一刻我一定是精神恍惚了，因为除了他那套在月色下闪闪发光的粉色衣服，我什么都想不起来。

"你在这儿干吗？"我问道。

"只是站在这儿，old sport。"

不知为何，他看上去好像要做什么可耻的勾当。说不定马上就要去洗劫那幢房子。这时即使看到许多邪恶的面孔，就像"沃尔夫山姆那帮人"那样，躲在黑漆漆的灌木丛里，我也不会感到惊讶。

"你在路上看到出什么事了吗？"过了一会儿他问。

"看到了。"

他犹豫了一下。

"她死了吗？"

"对。"

"我想到了。我跟黛西说她撞死了。所有打击最好一起来。她还承受得住。"

他这样说，就好像黛西的反应是唯一重要的事一样。

"我从一条小路开回西卵村，"他继续道，"然后把车子停在我家车库里。我想没有人看到我们，但是当然，我也不能确定。"

这时候我已经很讨厌他了，所以觉得没有必要告诉他，他想错了。

"那个女人是谁？"他问道。

"她姓威尔逊，她丈夫开了一家车铺。这他妈的到底怎么发生的？"

"呃，我想把方向盘转过来的——"他就此打住，突然间我猜到了真相。

"是黛西在开车吗？"

"对，"过了一会儿他说，"不过当然，我会说是我开的。你知道，我们离开纽约后，她非常紧张，以为开一会儿车能镇静下来——然后那个女人就冲了出来，正好对面开来一辆车。前后不到一分钟的事，但我觉得她好像想跟我们说话，以为我们是她认识的人。嗯，黛西先把车从那个女人转向那辆车，然后又惊慌失措地转了回去。我的手刚碰到方向盘就感到剧烈的一震，一定是当场撞死了她。"

"撞得血肉模糊——"

"别告诉我，old sport。"他退缩了一下，"总之，黛西继续踩了油门。我想让她停下来，但是她做不到，于是我拉了紧急刹车。她晕倒在我的大腿上，我就接过来开走了。"

"她明天就会好的。"过了一会儿他说，"我只是想在这儿等等，看汤姆会不会因为下午那些不愉快的事找她的麻烦。她把自己锁在房间里了，如果他有什么野蛮举动，她就会把灯关掉再打开。"

"他不会碰她，"我说，"他现在想的不是她。"

"我信不过他，old sport。"

"你打算等多久？"

"如果有必要的话，通宵。至少，等到他们都睡觉。"

一个新的想法闪现在我脑海里。如果汤姆发现是黛西开的车，可能会觉得这其中必有关联，他什么都想得出来的。我看着那幢房子，楼下有两三扇亮着灯的窗户，二楼黛西的房间里映出粉红色的灯光。

"你在这儿等着，"我说，"我去看看有什么动静。"

我沿着草坪的边缘走了回去，轻轻跨过石子车道，然后踮着脚尖走上门廊的台阶。客厅的窗帘是拉开的，里面空无一人。我穿过三个月前那个六月的晚上我们共进晚餐的门廊，来到一小片长方形的灯光前面，我猜那是食品间的窗户。百叶窗拉了下来，但我在窗沿上找到一个缝隙。

黛西和汤姆面对面坐在厨房的桌边，两人中间放着一盘冷炸鸡，还有两瓶啤酒。他正隔着桌子全神贯注地跟她说话，热切地将自己的手放在她的手上。她不时抬起头来看看他，点点头表示同意。

他们并不开心，谁都没动炸鸡或者啤酒——然而他们也谈不上不开心。这幅画面真真切切透着一种自然的亲密氛围，人人都会觉得他们是在一起谋划着什么。

我踮着脚尖离开门廊时，听见我的出租车沿着漆黑的车道缓缓开过来。盖茨比还在刚才的地方站着。

"上面还安静吗？"他焦急地问。

"嗯，一切都好。"我犹豫了一下，"你最好也回家睡觉吧。"

他摇摇头。

"我想等黛西睡了再回去。晚安，old sport。"

他把两手插在上衣口袋里，然后急切地转身继续观察那幢房子，仿佛我的存在破坏了他神圣的守望。于是我走开了，留下他站在月光里——守望着虚无。

第八章

　　我彻夜难眠。雾笛在海湾上不停地呜呜作响，我像病人一样辗转反侧，在荒诞的现实与可怕的梦境之间似醒非醒。黎明将近，我听见一辆出租车开上盖茨比的车道，我马上跳下床穿上衣服——我觉得有话要对他说，有事要警告他，等到早上就太迟了。

　　我穿过他家草坪，看见他的前门仍然开着，他倚在大厅里的一张桌子边，由于沮丧或者困倦显得疲惫不堪。

　　"什么事也没发生，"他满面倦容地说，"我一直等到大概四点，她走到窗前，站了一会儿，然后把灯关掉。"

　　那天夜晚，我们穿过那些大房间找烟的时候，我才第一次感到他的房子如此巨大。我们推开帐篷布一般的厚门帘，又摸着漫无尽头的漆黑墙壁寻找电灯开关，我还被幽灵般的钢琴绊了一下，嘭的一声摔在琴键上。到处是莫名其妙的尘土，房间都散发着霉味，仿佛已经很长时间没有通过风了。我在一张不熟悉的桌子上找到了雪茄盒，里面有两支干巴巴变了味的香烟。我们把客厅的落地窗打开，坐下来对着外面的暗夜抽烟。

"你得离开这儿，"我说，"他们肯定会追查你的车。"

"现在离开，old sport？"

"到大西洋城待一个星期，或者北上到蒙特利尔去。"

他不会考虑的。他不可能把黛西留在这里，除非知道她打算怎么办。他紧紧抓着最后一线希望不放，我也不忍心让他撒手。

就在那个夜晚，他向我讲述了年轻时跟丹·科迪在一起的离奇故事。他讲给我听，是因为"杰伊·盖茨比"已经像玻璃一样被汤姆恶狠狠的敌意击得粉碎，而那出漫长的秘密狂想剧也落下了帷幕。我以为此时的他可以毫无保留地承认一切，但他想谈的只有黛西。

她是他认识的第一个"名门闺秀"。以前他也曾以各种未表明的身份接触过这样的淑女，但却总有一道无形的藩篱隔在中间。他觉她是最可心的一位。于是他去她家拜访，起初和泰勒营的其他军官一起去，后来就独自前往。她的家让他惊叹不已——他从未进过这么漂亮的房子。然而，这里具有的那种扣人心弦的紧张氛围全是因为黛西，尽管对她而言，住在这儿就像他住在军营一样平淡无奇。整幢房子透着一股引人入胜的神秘感，仿佛在暗示楼上有许多卧室比其他地方更优雅凉爽，走廊里到处是欢声笑语、赏心乐事，还有风情韵史——不是发了霉、用薰衣草保存起来的历史，而是活灵活现、有血有肉的浪漫故事，就像今年崭新锃亮的汽车，就像鲜花仍未凋零的舞会。许多男人都曾爱过黛西，这更让他兴奋，让他对她另眼相看。他感到屋子的角角落落都有他们的影子，空气里依然弥漫着他们心旌荡漾的回声。

然而他知道,他能进黛西的家纯粹出于偶然。尽管作为杰伊·盖茨比他或许会有辉煌的前程,但目前他还是一个涉世不深、一文不名的年轻人,而且那身让他看上去仪表堂堂的军服也随时都可能褪下来。因此他充分利用时间,如饥似渴、肆无忌惮地占有能得到的东西,终于在一个寂静的十月的夜晚,他得到了黛西——占有了她,却没有真正的权利去摸她的手。

他也许应该鄙视自己,因为他的确是用欺骗的手段得到了她。我不是说他用那虚幻的百万家产做了交易,而是他故意给黛西制造了一种安全感:让她相信他的出身同样高贵,相信他完全有能力照顾她。事实上,他没有这样的能力——他没有优越的家庭背景,只要冷漠的政府一声令下,他随时都会被调到世界上任何一个地方。

但是他并没有鄙视自己,事情的发展也出乎他的意料。或许他原本打算能得到多少就占有多少,然后一走了之——但现在他发现自己已经献身于追求一种理想。他知道黛西与众不同,但是他不了解一个"名门闺秀"能够不同到什么程度。她消失不见了,回到她的豪宅中,回到宽裕美满的生活里,留下盖茨比——一无所有。他觉得是自己许给了她,仅此而已。

两天之后他们再见面时,盖茨比显得心慌意乱,好像自己受了某种欺骗。璀璨的星光映照着她家的门廊,当她转过身让他吻她美妙而可爱的双唇时,柳条长靠椅发出嘎吱的声响。她着了凉,声音比以往更沙哑,更动听,盖茨比深切地体会到财富是怎样令青春和神秘永远长驻,体会到一身身华服如何让人保持清新靓丽,体会到黛西像白银一样闪亮耀眼，在穷人激烈的生存斗争之上，安然而高傲地活着。

"我没法向你描述我发现自己爱上她的时候是多么惊讶，old sport。有段时间我甚至希望她把我甩掉，但她却没有，因为她也爱我。她觉得我懂得很多，因为我懂的与她懂的不一样……嗯，我就是那样，把雄心壮志搁在一边，深深陷入情网，突然之间我什么都不在乎了。如果只需告诉她我打算做些什么，就能获得快乐，我又何必去干一番大事业呢？"

出国之前的最后一个下午，他搂着黛西默默坐了很长时间。那是一个寒冷的秋日，屋子里生了火，她的脸颊通红。她不时地动一下，他也稍稍变换手臂的姿势，有一次他还吻了她那乌黑发亮的头发。那天下午他们度过了一段宁静的时光，似乎要为第二天开始的漫长离别留下一个深刻的记忆。她默默地用嘴唇拂过他上衣的肩头，他则轻轻地抚摩她的指尖，仿佛她已在睡梦中。在相爱的这一个月里，他们从没有如此亲密过，也没有像现在这般心心相印。

他在战争中表现非常出色。还没上前线就已经当了上尉，阿尔贡战役之后他晋升为少校，当上师里机枪连的连长。停战之后，他急切地想要回国，但由于复杂的情况或者是误会，他被送到了牛津。他开始担忧焦虑，因为黛西在信中流露出紧张而绝望的情绪。她不明白他为什么不能回来。她开始感到外界的压力，一心想要见他，想感受他的陪伴，想确认自己做的没错。

那时的黛西毕竟还年轻，她那虚华的世界里充溢着兰花的芬芳、社交的愉悦和乐队的欢歌，正是那些歌舞乐曲为逝水年华定下了基调，用新的旋律演绎着人世的启示和忧伤。萨克斯管通宵演奏着《比尔街爵士乐》忧郁的曲调，上百双金银舞鞋扬起闪亮的尘土。晚茶时分，总有一些房间随着这低沉而甜蜜的热烈节奏不停地震颤，清新的面孔来去飘飘，仿佛是被哀怨的萨克斯管吹落一地的玫瑰花瓣。

这暮色朦胧的世界迎来了又一个社交季节，黛西重新开始繁忙起来。忽然间，她每天又有五六次约会，跟五六个男人见面，直到黎明才昏昏入睡，缀满珠子和薄绸装饰的晚礼服与凋零的兰花缠作一团，摊在她床边的地板上。这整个时期，她的内心都渴望作出一个决定。她想现在就安排好未来的人生，事不宜迟。而且这必须由近在眼前的某种力量去推动——爱情，金钱，总之要实实在在的东西。

春意盎然的时候，汤姆·布坎南的到来使这股外力得以成形。他的身形和地位都很有分量，令黛西觉得光彩十足。毫无疑问，她经历了一番思想斗争，后来又如释重负。收到她那封信的时候，盖茨比还在牛津大学。

这时，长岛已是黎明，我们走过去把楼下其他窗户都打开，让屋里充满渐渐变白、变黄的光线。一棵树的影子突然斜在露珠上，精灵般的鸟儿开始在蓝色的树叶间歌唱。空气中有一股舒缓而愉悦的气息，还说不上是风，预示着一个凉爽宜人的好天气。

"我相信她从来没有爱过他。"盖茨比从一扇窗前转过身来，用挑衅的目光看着我，"你一定得记住，old sport，她这个下午非常激动。

他说那些话的方式吓着她了，好像我是一个下贱的骗子。吓得她都不知道自己说了些什么。"

他沉着脸坐了下来。

"当然他们刚结婚的时候，她可能爱过他一阵子。可即使那时，她也更爱我，你明白吗？"

突然他说了一句奇怪的话。

"反正，"他说，"这只是个人的事。"

这句话该怎么理解？只能猜测为他对这件事的看法带有某种无法估量的强烈情感。

他从法国回来的时候，汤姆和黛西仍在度蜜月。他痛苦不堪又不由自主地用最后的军饷去了一趟路易斯维尔。他在那儿待了一个星期，走遍当年他们在十一月的夜晚并肩走过的街道，重访曾经开着她那辆白色汽车去过的偏僻地方。在他看来，黛西家的房子总是比其他房子有着更多的神秘与欢乐，路易斯维尔也一样，即使她已离开，他也依然觉得这座城市弥漫着忧郁的美。

他走的时候，一直觉得如果努力去找，就有可能找到她——可他还是留下她独自离去。他已身无分文，只能坐闷热的三等车厢。他走到连接车厢的露天通廊上，在一把折叠椅上坐下来，看着车站向后掠去，陌生建筑物的背影也一一退出视野。火车驶过春天的田野，与一辆黄色电车并排疾驰了一会儿，电车里可能有人无意间在街道上见过她那苍白迷人的脸庞。

铁轨拐了一个弯，火车现在背着太阳行驶了。夕阳西下，似乎在将祝福撒向这座慢慢消失、曾与她息息相关的城市。他绝望地伸出手，仿佛想抓住一缕空气，将这座因她而可爱的城市存留一个碎片。然而在他朦胧的泪眼中，这一切都跑得太快，他知道自己已经失去了那一部分，永远地失去了最新鲜、最美好的那一部分。

我们吃完早餐，走到外面门廊的时候，已经是九点钟。一夜之间天气变了，空气中有股秋天的味道。那个园丁，盖茨比家最后一个原先的用人，走到台阶前。

"我今天要把游泳池的水放掉了，盖茨比先生。叶子很快就会落下，下水管道经常会被堵住的。"

"今天不要弄了。"盖茨比回答。他带着歉意转向我，"你知道，old sport，这个夏天我都没有用过游泳池。"

我看了看表，站起来。

"我那班车还有十二分钟就要开了。"

我其实不愿意进城去。我没有心思认真工作，可原因并不止于此——我不想离开盖茨比。我误了那班车，又误了下一班，然后才起身离开。

"我给你打电话吧。"最后我说。

"一定，old sport。"

"中午我会打给你。"

我们慢慢走下台阶。

"我想黛西也会打电话来的。"他心神不宁地看着我，好像希望我能证实这一点。

"我想会的。"

"好，再见吧。"

我们握握手，然后我离开。走到树篱边的时候，我想起了什么，于是转过身来。

"他们是一帮浑蛋，"我隔着草坪冲他喊，"他们那帮人加起来都比不上你。"

我一直很高兴说了那句话。那是我给过他的唯一的赞美，因为我自始至终都不赞成他。他先是礼貌地点点头，然后脸上绽放出会心的微笑，仿佛我们在这件事上早已相互勾结。他那身华丽的粉色衣服在白色台阶的映衬下，显得鲜艳明亮。于是我想起三个月前，我第一次来到这幢豪宅的那个晚上。当时他的草坪和车道上挤满了人，个个都在揣测他的劣迹和罪行——而他站在台阶上向他们挥手告别，心中隐藏着永不磨灭的梦想。

我感谢他的盛情招待。我们——我和其他人——总是为此向他致谢。

"再见，"我喊道，"谢谢你的早餐，盖茨比。"

进城之后，我试着整理了一会儿没完没了的股票行情表，然后就在转椅上睡着了。快到中午的时候，电话铃声把我吵醒，我起身去接，前额上汗珠直冒。是乔丹·贝克，她总在这个时候给我打电话，因为她行踪不定，出入于酒店、俱乐部和私人住宅中，我很难用其他办法找到她。她的声音从电话里传来总是那么清新动听，好像一小块草皮从绿茵茵的高尔夫球场上悠悠飞进办公室的窗户，但是今天上午她的声音却显得生涩而枯燥。

"我离开黛西家了。"她说，"我现在在亨普斯特德，下午要到南安普敦去。”

或许她离开黛西家是明智的，但这种做法却让我不太高兴。她接下来的一句话更加令我恼火。

“你昨天晚上对我不够好。”

“昨天那种情况，这又有什么大不了的？”

一阵沉默。然后她说：“反正，我想见你。”

“我也想。”

“那我就不去南安普敦了，下午进城去找你，好吗？”

“不——今天下午不行。”

“那好吧。”

“今天下午真的不行。很多——”

我们就这样你一言我一语，然后突然间两个人都不说话了。我不知道是谁啪的一声先挂掉了电话，但我想我并不在乎。那天我的确不可能跟她面对面喝茶聊天，即使她从此永远不再跟我讲话。

过了几分钟我打电话给盖茨比，但是线路忙。我一连打了四次，最后，一个不耐烦的接线员告诉我，这条线路正在等底特律打来的长途。我拿出火车时刻表，在三点五十分那班车上画了个小圆圈。然后我靠在椅子上，想要思考一下。这时刚到中午。

那天早上乘火车路过灰堆的时候，我故意走到车厢另一边去。我猜想那里整天都会聚着一群好奇的人，小男孩们在尘土中寻找黑色的血迹，唠叨的人一遍又一遍地讲着事故的经过，直到自己都觉得越来越不真实，讲不下去了。然后默特尔·威尔逊的悲惨结局就这样被人遗忘。现在我想追述一下前一天晚上我们离开之后，车铺里发生的情况。

他们好不容易才找到她的妹妹凯瑟琳。那一晚她肯定破了不喝酒的规矩，因为她到那儿的时候，醉得糊里糊涂，无法理解救护车已经开到法拉盛区去了。等他们终于让她搞明白，她马上就晕了过去，好像整件事只有这一点最让她难以忍受似的。有个人不知是出于好心还是出于好奇，开上车带着她，跟在她姐姐的遗体后面。

直到午夜过后很久，还不断有人来，聚集在车铺前面，乔治·威尔逊坐在里面的沙发上前后摇晃。有一会儿办公室的门敞开着，到车铺来的人都忍不住向里张望。直到有个人说这样太不像话，门这才被关上。米凯利斯和其他几个男人陪着威尔逊，开始有四五个，后来就只剩下两三人。再到后来，米凯利斯不得不让最后一个陌生人等十五分钟再走，他好回自己那儿去煮一壶咖啡。那之后，他一个人陪着威尔逊一直到天亮。

凌晨三点左右，威尔逊那颠三倒四的喃喃自语发生了变化——他渐渐安静下来，开始说到那辆黄色的车。他声称能够查出那辆车的车主，然后又突然说起，两个月前他老婆有一次从城里回来时满脸淤血，鼻青脸肿。

不过，听到自己说出这件事，他畏缩了一下，接着又哭哭啼啼地喊起来："哦，我的上帝啊！"米凯利斯笨口拙舌地想转移他的注意力。

"你结婚多久了，乔治？好啦，安安静静坐一会儿，回答我的问题。你结婚多久了？"

"十二年。"

"有孩子吗？来，乔治，安静坐会儿，我在问你问题呢。你有没有孩子？"

棕色的甲壳虫不停地往昏暗的电灯上乱撞，米凯利斯每听见外面一辆汽车疾驰而过，就会觉得是几小时前那辆没停的车。他不想到车铺去，因为停放过尸体的工作台上血迹斑斑。所以他只好在办公室里不自在地走来走去——天亮之前他已经认清了屋里的每样东西——然后时不时坐到威尔逊身边，想办法让他安静下来。

"有没有哪家教堂你时常会去一下，乔治？可能你很久没去过了吧？要不然我打个电话，请一位牧师来，你跟他谈谈，好吗？"

"没有哪家是我常去的。"

"应该有一家的，乔治，这种时候就有用了。你以前一定去过吧。你不是在教堂结的婚吗？听着，乔治，听我说，你不是在教堂结的婚吗？"

"很久以前的事了。"

威尔逊因为要努力回答问题，不得不打乱了摇晃的节奏。他沉默了一会儿，然后，先前那种半清醒半迷惑的眼神又回到了他暗淡的双眼里。

"看看那个抽屉里。"他指着书桌说。

"哪个抽屉？"

"那个——那个。"

米凯利斯打开他手边最近的抽屉。里面只有一根小而昂贵的狗皮带，是用牛皮和银穗带做的。看上去很新。

"这个吗？"他拿起来问道。

威尔逊盯着它，点点头。"我昨天下午发现的。她想告诉我它的来由，但我知道这里面另有蹊跷。"

"你是说这是你太太买的？"

"她用纸巾包起来放在她的梳妆台上。"

米凯利斯看不出有什么异样，他给了威尔逊十几个理由，来解释他的妻子为什么会买这条狗皮带。但是可以想象，威尔逊已经从默特尔口中听过其中一些解释了，因为他又开始小声地喊"哦，我的上帝啊"，安慰他的人只好收回还没说出口的几个理由。

"那么是他杀了她。"威尔逊说。他的嘴巴突然张得大大的。

"谁杀了她？"

"我有办法查出来的。"

"你不太正常了，乔治。"他的朋友说，"你受了刺激，不知道自己在说什么。你还是安安静静地坐着，等到天亮吧。"

"他谋杀了她。"

"是场交通事故，乔治。"

威尔逊摇摇头。他的眼睛眯成一条缝，嘴巴稍稍张开，不以为然地轻轻"哼"了一声。

"我知道，"他肯定地说，"我是个相信别人的人，从来不想伤害任何人，但是只要我搞明白了一件事，那就准不会错。就是开那辆车的人。她跑出去想跟他说话，他却不肯停下来。"

米凯利斯也看到了这个场景，但是他并没想到其中有什么特殊的意义。他觉得威尔逊太太是想从她丈夫身边逃开，而不是想拦住某一辆车。

"她怎么可能那样呢？"

"她这个人很有心计。"威尔逊说，似乎这就是答案，"啊——啊——啊——"

他又开始摇晃起来，米凯利斯站在那儿，把玩着那条狗皮带。

"乔治，也许你有什么朋友要我打电话叫他们来？"

这是一个渺茫的希望——他几乎可以肯定威尔逊一个朋友都没有，他连老婆都应付不来。过了一会儿，他很高兴地注意到屋里有了变化，窗外渐渐发蓝，他知道天快亮了。五点左右，外面天色更蓝，可以关上屋里的灯了。

威尔逊呆滞的目光转向外面的灰堆，那上面小小的灰色云朵呈现出奇怪的形状，在黎明的微风中飘来飘去。

"我跟她谈过，"他沉默半天后低声说道，"我告诉她，她可以骗我，但是骗不了上帝。我把她带到窗前，"他费力地站起身来，走到后窗跟前，把脸紧紧贴在上面，"然后对她说：'上帝知道你所做的事情，你所做的一切。你可以骗我，但是你骗不了上帝！'"

米凯利斯站在他身后，吃惊地看到他正盯着 T.J. 埃克尔堡医生的眼睛，那双眼睛巨大无比却暗淡无光，刚刚从消散的夜色中显现出来。

"上帝看得见一切。"威尔逊又说了一遍。

"那是个广告。"米凯利斯说道，不知是什么让他从窗边转过身来，朝屋里看去。但威尔逊在那里站了很久，脸紧贴着玻璃窗，向着曙光不住地点头。

六点钟的时候，米凯利斯已经筋疲力尽，幸好听到有一辆车停在了外面。是昨晚一位帮忙守夜的人，他答应会回来的。于是米凯利斯做好三个人的早餐，跟这个人一起吃了。威尔逊现在安静了些，米凯利斯便回家去睡觉。四个小时后他醒过来，匆忙回到车铺，发现威尔逊不见了。

他的行踪（一直是步行）后来被查明：先到罗斯福港，再到盖德山，在那里买了三明治，但是没吃，还买了一杯咖啡。他一定很累，走得很慢，因为直到中午都还没到盖德山。至此，还不难对他的行踪做出交代——有几个男孩说看到一个"疯疯癫癫"的男人，还有几个司机记得他在路边用古怪的眼神盯着他们。之后的三个小时，就没有人看到他了。根据威尔逊对米凯利斯说过的他"有办法查出来"，警方猜测他在那段时间里走遍一家家车铺，打听那辆黄色的汽车。可是，没有哪家车铺的人看见过他，或许他有更简单、更可靠的办法查出他想知道的东西。下午两点半的时候，他到了西卵村，打听去盖茨比家怎么走。所以那时，他已经知道盖茨比的名字了。

下午两点，盖茨比穿上泳衣，给男管家留了个话：要是有人打电话来，就到游泳池告诉他。他先到车库拿了一个夏天供客人娱乐用的橡皮垫子，司机帮他给垫子打了气。然后他吩咐司机，任何情况下都不能把那辆敞篷车开出来——而这是很奇怪的，因为右前方的挡泥板需要修理。

盖茨比把垫子扛在肩上，朝游泳池走去。他停了一次，将它换到另一个肩上，司机问要不要帮忙，他摇了摇头，一会儿就消失在正渐渐变黄的树林中了。

没有人打电话来，但是男管家也没有睡午觉，一直等到四点——等到即使有人打电话，也早已没人接了。我其实觉得，盖茨比本人并不相信会有电话来，他也已经不在乎了。如果真是如此，他一定是觉得已经失去了往日那个温暖的世界，为一个梦想空守了太久，付出了太高的代价；他一定是透过可怕的树叶仰望到一片陌生的天空；他一定感到毛骨悚然，当他发现玫瑰是多么丑恶，而阳光照在刚刚露头的小草上又是多么残忍。这是一个新世界，物质的世界，没有真实可言，可怜的鬼魂呼吸着空气一般的梦想，四处飘荡……就像那个灰蒙蒙的怪人穿过杂乱的树林悄悄向他走来一样。

汽车司机——他是沃尔夫山姆手下的人——听到了枪声，事后他只能说当时并没有太在意。我从火车站直接把车开到盖茨比家，等我匆匆冲上前门的台阶，屋里的人才意识到出事了。但我敢肯定他们早已知道。我们四个人，司机、管家、园丁和我，一言不发地赶到游泳池去。

清水从一端放进来又流向另一端的排水管，水面上有一丝不易觉察的细小波纹。那只沉重的橡皮垫子在池水中随着微微的涟漪盲目地飘着。一阵微风吹不皱水面，却使它载着莫名的负担改变了莫名的方向。一簇落叶拥着它慢慢旋转，像指南针一样，在水面上画出一道细细的红圈。

我们抬起盖茨比朝屋里走去，之后园丁才在不远处的草坪上看见了威尔逊的尸体，这场杀戮就此结束。

第九章

　　时隔两年，我回想起那天下午剩余的时间、那一晚以及第二天，只记得一拨又一拨警察、摄影师和新闻记者从盖茨比家的前门进进出出。外面的大门口拉起一根绳子，旁边站着一名警察拦住看热闹的人，但是小男孩们很快就发现可以从我的院子里绕进去，因此总有几个孩子目瞪口呆地挤在游泳池旁边。那天下午，一个胸有成竹的人，大概是个侦探，俯身查看威尔逊的尸体时用了"疯子"这个词，由于他的语气颇显权威，第二天早上的报纸便以此为基调作了报道。

　　大多数报道都如同噩梦一般——古怪离奇，捕风捉影，用词夸张，内容失实。验尸时，米凯利斯在证词中透露了威尔逊对他妻子的怀疑，我以为整个故事很快就会被黄色小报添油加醋地刊登出来——没想到凯瑟琳，这个本来可以信口胡言的人，却保持了沉默。她表现出一种惊人的魄力——她用描过的眉毛下面那双坚定的眼睛看着验尸官，发誓说她姐姐从没见过盖茨比，她姐姐跟丈夫生活在一起非常幸福，从来没有过不正当的行为。她说得连自己也信以为真，用手帕捂着脸哭了起来，就好像提出这种疑问都让她无法忍受似的。威尔逊就这样被认定为一个"悲伤过度、精神错乱"的人，整个事件也因此而简单明了。案子告一段落。

然而这些过程全都显得那么遥远而无关紧要。我发现自己形单影只地站在盖茨比这一边。从我打电话到西卵村报案的那一刻起，每一个关于他的揣测，每一个实际的问题，都会向我提出。起初我感到惊讶而困惑，后来一个又一个小时过去，他躺在他的房子里，没有动静，没有呼吸，没有言语，我才渐渐明白自己负有的责任。因为除我以外没有人对他表示关心——我的意思是说，每个人死后或多或少理应得到别人真切的关心。

发现盖茨比的尸体半个小时之后，我就打电话给黛西，出自本能、毫不犹豫地打电话给她。但是她和汤姆那天下午很早就出门了，还带上了行李。

"没留地址吗？"

"没有。"

"说什么时候回来了吗？"

"没说。"

"知道他们去哪儿了吗？怎么才能找到他们？"

"我不知道。说不上来。"

我想为他找个人来。我想走进他躺着的房间去安慰他说："我会给你找个人来的，盖茨比。别担心。相信我，我会给你找个人来——"

迈耶·沃尔夫山姆的名字不在电话簿里。管家给了我他在百老汇的办公室地址，我又打电话到电话局问讯处，但是等我拿到号码已经过了五点，没有人接电话了。

"请你再接一次线好吗？"

"我已经接过三次了。"

"我有很要紧的事。"

"对不起，那儿恐怕没人。"

我走回客厅，屋里突然挤满了人，开始的一刹那我还以为是些偶然来访的客人，但实际上他们都是官方人员。他们掀开被单，用惊恐的目光看着盖茨比，可我耳边不断回响的却是他的抗议声："我说，old sport，你一定得给我找个人来。你得想想办法。我一个人扛不住啊。"

有人开始向我提问，但我脱身跑上楼去，匆匆翻了一下他书桌上那些没锁的抽屉——他从未明确告诉过我，他的父母已不在世。但是我什么也没找到，只有丹·科迪的那张照片，一段被人遗忘的狂野生活的象征，从墙上向下凝视着。

第二天早上，我派男管家去纽约捎封信给沃尔夫山姆，向他打听一些情况，请他马上搭下一班火车过来。我写的时候觉得这个要求似乎是多余的。我相信他一看到报纸肯定会赶过来，正如我相信中午之前黛西一定会发来电报——但是电报没来，沃尔夫山姆先生也没到。除了更多的警察、摄影师和新闻记者，什么人都没有来。当男管家带回沃尔夫山姆的回复，我开始有一种藐视一切的感觉，感到盖茨比和我之间的情谊可以对抗他们所有人。

　　亲爱的卡拉韦先生，

　　　　这个消息让我万分震惊，我简直难以相信。那个人做出如此疯狂的举动，很值得我们深思。我现在无法前往，因为我有重要的业务在身，不能跟这件事发生牵连。过些时候，如果有我能帮上忙的事情，请派埃德加送信通知我。听到这件事之后，我都不知道自己身在何处，只感觉天昏地暗。

　　　　　　　　　　　　　　　　　　　　您忠实的，
　　　　　　　　　　　　　　　　　　　迈耶·沃尔夫山姆

下面又匆匆添了一句：

　　　　请告知关于葬礼的安排。又及：我根本不认识他家里人。

　　那天下午电话铃响，长途电话局说芝加哥有电话来，我想黛西终于打过来了。但是接通之后却是一个男人的声音，又轻又远。

　　"我是斯莱格……"

　　"什么事？"这个名字很陌生。

　　"那封信真糟糕，对吧？收到我的电报了吗？"

　　"没收到什么电报。"

　　"小派克有麻烦了，"他语速很快，"他在柜台上递证券的时候被逮住了。五分钟前他们刚从纽约接到的通知，给了证券号码。这事你想得到吗，嗯？在这种乡下地方根本想不到——"

"你好！"我气急败坏地打断了他，"我说，我不是盖茨比先生。盖茨比先生死了。"

电话线那头沉默了好久，接着是一声惊叫……然后咔的一声，电话就挂断了。

我想大概是第三天，从明尼苏达州的一个小镇发来了一封署名为亨利·C.盖兹的电报。上面只说发报人马上出发，要求等他到达后再举行葬礼。

来的是盖茨比的父亲，一个肃穆的老人，非常无助，神情沮丧，在这暖和的九月里，裹着一件廉价的长外套。他激动得眼泪不住地往下流，我从他手里接过旅行包和雨伞的时候，他不停地用手去捋那稀疏的灰白胡子。我好不容易才帮他脱下外套。他快要挺不住了，于是我把他带到音乐厅，让他坐下，派人去拿了点吃的东西。但是他不肯吃，杯里的牛奶从他颤抖的手中泼了出来。

"我在芝加哥的报纸上看到的，"他说，"芝加哥报纸上全都登了出来。我马上就出发了。"

"我不知道怎么联系您。"

他的眼睛一片茫然，却不停地朝屋里四下张望。

"是个疯子干的，"他说，"一定是个疯子。"

"您要点咖啡吗？"我劝道。

"我什么也不想要。我现在很好，您是——"

"卡拉韦。"

"哦，我现在很好。他们把吉米①放在哪儿了？"

我带他到客厅停放他儿子遗体的地方，把他留在那儿。有几个小男孩爬上了台阶，正往前厅里探头探脑。等我告诉他们是谁来了，他们才不情愿地走开。

过了一会儿，盖兹先生打开门走了出来，他嘴巴张着，脸稍有点发红，眼睛里不时地滴下几滴泪水。他已经到了不再因死亡而感到惊骇的年纪，于是此刻他开始环顾四周，看见前厅如此富丽堂皇，一间间大屋子从这里延伸出去，又通向其他屋子，他的悲伤与一股惊讶而骄傲的感情交织在一起。我把他搀到楼上的一间卧室里，他一面脱下上衣和背心，我一面告诉他，所有的安排都推迟了，就等着他来。

"我不知道您打算怎么办，盖茨比先生——"

"我姓盖兹。"

"——盖兹先生。我想也许您要把遗体运回西部。"

他摇摇头。

"吉米一直更喜欢东部。他是在东部起家，得到现在的地位的。你是我儿子的朋友吗，先生——？"

"我们是很好的朋友。"

"他很有前途的，你知道。他虽然年轻，却很有头脑。"

他郑重地用手碰碰脑袋，我也点了点头。

"如果他活着，一定是个了不起的人。像詹姆斯·J.希尔①那样，

①吉米（Jimmy）是盖茨比的原名詹姆斯（James）的昵称。
①詹姆斯·J.希尔（1838—1916），美国铁路建筑家、金融家。

为这个国家做出贡献。"

"是这样的。"我不自在地说。

他笨手笨脚地拉着绣花床罩，想把它从床上拽下来，接着直挺挺地躺下去——很快就睡着了。

那天晚上，一个明显担惊受怕的人打来电话，一定要先知道我是谁才肯说出他的名字。

"我是卡拉韦。"我说。

"哦！"他听上去松了一口气，"我是克里普斯普林格。"

我也松了一口气，因为盖茨比的葬礼上似乎可以多一位朋友了。我不愿意登报，引来一大群看热闹的观众，所以就自己打电话通知了几个人。他们可真是难找。

"葬礼明天举行，"我说，"三点，在他家这边。我希望你转告有意参加的人。"

"哦，我会的，"他慌忙说道，"其实，我不太可能见到什么人，但如果见到的话我会转告。"

他的语气让我有点怀疑。

"你自己肯定是要来的。"

"嗯，我一定想办法去。我打电话是——"

"等等，"我打断他，"先说好，你一定会来，怎么样？"

"呃，事实上——是这样的，我现在在格林威治的一个朋友家里，他们想让我明天一起出去玩，去野炊或者什么的。当然，我一定会想办法走开。"

我忍不住发出一声"哼"，他一定也听见了，因为他紧张地继续说道：

"我打电话来是因为我把一双鞋落在那儿了。不知道能不能麻烦你让管家给我寄来。你知道，那是双网球鞋，我离了它简直没办法。我的地址是 B.F.——"

我没听他说完，就把电话挂了。

从那之后，我为盖茨比感到羞愧——还有一个人我打电话去找他，他竟暗示盖茨比是死有应得。不过，这是我的错，因为他当初就是那种喝了盖茨比的酒就大骂盖茨比的人，我本不应该打电话给他。

葬礼的那天早上，我到纽约去找迈耶·沃尔夫山姆，似乎没有别的办法能找到他。我在一名电梯工的指点下，推开了一扇写着"万字控股公司"的门，一开始里面好像没人。但是我高喊了几声"喂"没人答应之后，一扇隔板后面突然传来一阵争论声，一个漂亮的犹太女人出现在里屋的门口，用带有敌意的黑眼睛打量我。

"没人在，"她说，"沃尔夫山姆先生去芝加哥了。"

前一句话显然是撒谎，因为有人开始在里面哼起不成调的《玫瑰经》。

"请告诉他卡拉韦先生想见他。"

"我不可能把他从芝加哥叫回来，对吧？"

正在这时一个声音，毫无疑问是沃尔夫山姆的声音，从门那边喊道："斯特拉！"

"你把名字留在桌上，"她很快说道，"等他回来我告诉他。"

"但我知道他在里面。"

她向我面前迈了一步，两只手气冲冲地在臀部上下搓动。

"你们这些年轻人，以为随时可以闯进来，"她厉声说道，"我们都烦透了。我说他在芝加哥，他就在芝加哥。"

我提到了盖茨比的名字。

"哦……啊！"她又打量了我一番，"请稍等——你叫什么名字来着？"

她转身不见了。过了一会儿，迈耶·沃尔夫山姆一脸肃穆地站在门口，伸出了双手。他把我拉进他的办公室，用恭敬的语气说，这种时候我们大家都很难过，边说边递给我一支雪茄。

"我还记得第一次见到他的情景。"他说，"他当时是刚离开军队的一名年轻的少校，衣服上挂满了在战场上赢得的勋章。他手头十分拮据，买不起便服，只好一直穿着军装。我第一次见到他，是他走进四十三号街瓦恩布雷纳开的台球厅找工作的那天。他已经两天没吃饭了。'跟我一起吃午餐去吧。'我说。他半个小时就吃了四美元的东西。"

"是你让他开始做生意的吗？"我问。

"让他！我是造就了他。"

"哦。"

"我把他从一个穷小子栽培起来，从阴沟里捞出来。我一眼就看出他是个有绅士派头的年轻人，当他告诉我他上过扭津，我就知道可以把他派上大用场。我让他加入了美国退伍军人协会，后来他在那里身居高位。他一上来就跑到奥尔巴尼替我的一个客户办了件事。我们俩在所有事情上都是这么亲密，"他举起两根粗胖的手指，

"形影不离。"

我想知道一九一九年世界棒球联赛那笔交易中他们是否也配合默契。

"现在他走了，"过了一会儿我说，"你是他最亲密的朋友，所以我知道今天下午的葬礼你会来参加的。"

"我是想去。"

"嗯，那就来吧。"

他鼻孔里的毛微微颤动，他摇了摇头，眼里噙满泪水。

"我不能去——我不能牵连进去。"他说。

"没什么牵连的，都已经结束了。"

"凡是有人被杀害，我都不想有任何牵连。我不介入。我年轻的时候可不这样——如果一个朋友死了，不管怎么样，我都会跟他们拼到底。你可能觉得这是感情用事，但我是认真的——奉陪到底。"

我看出来，他决意不去自有原因，于是我站起身。

"你上过大学吗？"他突然问。

有一会儿工夫，我还以为他要跟我拉"关系"，但是他只点了点头，跟我握了握手。

"我们大家都应该学会在朋友活着的时候讲交情，而不要等到死了以后。"他提议道，"人死之后，我个人的原则是顺其自然。"

我离开他办公室的时候，天色已经变暗，我在蒙蒙细雨中回到了西卵村。换好衣服之后我来到隔壁，发现盖兹先生正激动地在前厅里走来走去。他儿子以及他儿子的财产在他心中激起的自豪感不断地增强，现在他有样东西要给我看。

"吉米给我寄了这张照片。"他用颤抖的手指掏出钱包,"你看看。"

那是这所房子的照片,四角破损,已经被很多只手摸脏了。他热切地将每一个细节都指给我看。"看那儿!"然后又在我的眼睛里搜寻着赞赏的神情。他经常拿出这张照片来给别人看,现在我觉得对他来说它比这座房子更加真实。

"吉米寄给我的。我觉得很好看,照得很好。"

"是很好。您近来见过他吗?"

"两年前他来看过我,给我买了我现在住的房子。当然,他离家出走的时候我们是断绝了关系,但是现在我明白那样做是有道理的。他知道自己有远大的前程。他成功以后对我一直都很大方。"

他似乎不情愿把照片收起来,又依依不舍地在我面前举了一会儿。然后他把钱包放回去,从口袋里拿出一本破破烂烂的旧书,书名是"牛仔卡西迪"。

"你瞧,这是他小时候的一本书。那时候就能看出他是个什么样的人。"

他翻开书的封底,掉转过来让我看。在最后的空白页上端端正正地写着"作息时间表",日期是一九〇六年九月十二日。下面写着:

起床	上午 6:00
哑铃操和爬墙	6:15-6:30
学习电学等	7:15-8:15
工作	8:30-下午 4:30

棒球和其他运动	4:30-5:00
练习演讲仪态等	5:00-6:00
学习有用的发明	7:00-9:00

个人决心

不再浪费时间去沙夫特家或者（另一个人名，字迹模糊）

不再吸烟或嚼烟

每隔一天洗一次澡

每星期读一本有益的书或杂志

每星期存 5 美元（这个数字被划掉了）3 美元

善待父母

"我无意间发现这本书，"老人说，"能看出他是个什么样的人，是吧？"

"是的。"

"吉米一定会有出息的。他总有这样那样的决心。你注意到他用什么办法提高自己的境界了吗？他在这方面一向很了不起。有一次他说我吃东西像猪一样，我把他揍了一顿。"

他舍不得合上那本书，把每一个条目都大声读了一遍，然后热切地看着我。我觉得他满心以为我会把这些抄下来自己用。

快三点的时候，路德教会的那位牧师从法拉盛赶到，我开始不由自主地往窗外张望，看看有没有别的车来。盖茨比的父亲也和我一样。时间慢慢过去，用人们都站到前厅里等候，老人开始焦急地眨起眼来，然后又忐忑不安地说起外面的雨。牧师看了好几次表，于是我把他带到一边，让他再等半个小时。但是没有用。压根没有人来。

　　五点左右，我们三辆车组成的队伍开到了墓地，在细密的小雨中停到大门旁边。第一辆是灵车，黑糊糊、湿淋淋的，然后是盖兹先生、牧师和我坐的大轿车，再后面是四五个用人和西卵村的邮递员坐的盖茨比的旅行车，大家下了车，全身都淋透了。我们从大门走进墓地的时候，我听见一辆车停了下来，接着是一个人踩着湿漉漉的草地向我们追上来的声音。我回头去看，是那个猫头鹰眼男人，三个月前的那天晚上就是他对着盖茨比图书室里的书惊叹不已。

　　从那以后我没再见过他。我不知道他是怎么得知葬礼消息的，我连他的名字都不清楚。雨水顺着他的厚眼镜流了下来，他把眼镜摘下擦了擦，看着那块挡雨的帆布从盖茨比的坟墓上卷起来。

　　当时我很想回忆一下盖茨比，但是他已经太遥远了，我只记得黛西没有发来电报，也没有送花，不过我并不气恼。我依稀听见有人喃喃地说："上帝保佑雨中的死者。"然后猫头鹰眼男人用洪亮的声音说了声："阿门！"

　　我们很快散开，冒着雨跑回车上。猫头鹰眼男人在门口跟我说了一会儿话。

　　"我没能赶到他家去。"他说。

　　"其他人也都没去。"

　　"真的！"他吃惊地说，"天啊，我的上帝！他们以前可是成群结队地去。"

他摘下眼镜，又里里外外擦了擦。

"这个家伙真他妈可怜。"他说。

我记忆中最生动的情景，就是每年圣诞节从预备学校，以及后来从大学回到西部的时候。要到芝加哥以远的地方去的同学，常常在十二月某个傍晚的六点相聚在古老而幽暗的联邦车站，跟几个已经沉浸在节日气氛中的芝加哥的朋友匆匆告别。我记得从各所女校回来的女学生穿着裘皮大衣，呼吸着寒冷的空气唧唧喳喳地聊天；记得我们遇到熟人时挥起手来打招呼；记得相互比较各自收到的邀请："你要去奥德韦家吗？赫西家吗？舒尔茨家吗？"还记得我们戴着手套的手紧紧抓着的长条绿色车票。最后还有从芝加哥开往密尔沃基和圣保罗的黄色客车，在暮色中朦朦胧胧的，停靠在站台旁边的轨道上，就像圣诞节一样令人愉快。

当我们的火车驶进寒冷的冬夜，真正的皑皑白雪从车厢两旁向远方伸展，迎着车窗闪闪发亮。威斯康星小站那幽暗的灯光从眼前掠过，空气中吹来一阵令人神清气爽的寒风。我们吃过晚餐，穿过寒冷的通廊往回走，深深呼吸着这股寒气。在接下来奇妙的一小时里，我们难以名状地意识到自己与这片土地息息相联，随即又不留痕迹地融入到这片土地中去。

这就是我的中西部——不是麦田，不是草原，不是瑞典移民的荒凉村镇，而是我青春时代那些激动人心的还乡的火车，是漆黑冬夜里的街灯和雪橇的铃声，是冬青花环被窗里的灯光映在雪地上的影子。我是其中的一部分，那些漫长的冬日养成了我有些肃穆的性格，在卡拉韦宅邸成长的岁月造就了我有点自满的态度——在我的城市里，人们的住处世代都以其姓氏命名。我现在才明白这个故事归根结底是属于西部的——汤姆和盖茨比，黛西、乔丹和我都是西部人，或许我们具有某种共同的缺陷，微妙地令我们难以适应东部的生活。

即使在东部最让我兴奋的日子，即使当我最为敏锐地意识到，比起俄亥俄河边沉闷、凌乱、臃肿，只有孩童和老人可以幸免于无休止的流言飞语的城镇，东部更加优越而美好——即使在那些时候，我也总觉得东部给人一种扭曲的感觉。尤其是西卵村，经常出现在我那些怪异的梦中。在梦里，它就像埃尔·格列柯①画的一幅夜景：上百所房子，既平常又怪诞，蹲伏在阴沉沉的天空和暗淡无光的月色下。前景里，四个严肃的男人穿着大礼服走在人行道边，抬着一副担架，上面躺着一个身穿白色晚礼服的喝醉酒的女人。她一只手奔拉在一边，手上的珠宝闪耀着寒光。那几个人肃穆地拐进一所房子里——他们走错了。但是没人知道这个女人的姓名，也没有人关心。

盖茨比死后，东部在我心目中就这样如鬼魅一般，它面目全非，超出了我视力可以矫正的范围。因此，当焚烧枯叶的蓝烟飘向天空，当寒风把晾在绳子上的湿衣服吹得僵硬的时候，我就决定回家来了。

但是离开之前我还有件事要做，一件令人尴尬和不快的事。本

---

① 埃尔·格列柯（约 1541—1614），西班牙画家。

来让它不了了之或许更好，但我希望把事情处理妥当，而不指望那博大却冷漠的大海能将我心头的杂念冲走。我跟乔丹·贝克见了一面，好好谈了谈我们之间发生的一切，也谈到我后来的遭遇。她躺在一张大椅子上，一动不动地听着。

她穿着打高尔夫球的运动服，我还记得我觉得她像一幅漂亮的插图，下巴得意地微微扬起，头发是秋叶的颜色，脸颊和放在膝盖上的无指手套一样是浅棕色。听完我的一席话，她没作任何评价，只告诉我她跟别的男人订了婚。我表示怀疑，虽然只要她一点头就有好几个人愿与她结婚，但我还是故作惊讶。有一瞬间我疑惑自己是否做错了什么，但我很快思量了一番，便起身向她告辞。

"总之是你甩了我，"乔丹突然说道，"你在电话里把我甩了。我现在倒也不在乎了，但当时我可是从未体验过，有好一阵子都晕乎乎的。"

我们握了握手。

"哦，你还记得吗，"她补充道，"有一次我们谈到开车？"

"怎么了，记不太清了。"

"你说一个莽撞的司机在遇上另一个不小心的司机之前总是自以为安全，记得吗？瞧，我碰上了一个不小心的司机，对吧？我是说我真够粗心大意的，竟然这样看走了眼。我以为你是个非常诚实、正直的人。我以为你一直暗暗以此为荣。"

"我三十岁了，"我说，"要是我年轻五岁，或许还可以骗骗自己，以此为荣。"

她没有回答。我怀着对她的几分爱恋，气恼又非常难过地转身走了。

十月下旬的一个下午，我在第五大道上碰到了汤姆·布坎南。他走在我前面，还是那副机警又盛气凌人的样子，两只手稍稍离开体侧，似乎要抵挡外来的侵扰，脑袋来回转动，以适应那双不安分的眼睛。我正要放慢脚步免得赶上他，他停了下来，皱着眉头朝一家珠宝店的橱窗里看。突然他看见了我，于是走过来伸出他的手。

"怎么了，尼克？你不愿意跟我握手吗？"

"对。你知道我是怎么看你的。"

"你疯了，尼克，"他连忙说，"发什么神经，我不知道你怎么了。"

"汤姆，"我质问道，"那天下午你跟威尔逊说了些什么？"

他一言不发地盯着我，我知道我猜对了那几个小时里无人知晓的事情。我正要转身离开，他却上前一步，抓住了我的胳膊。

"我对他说了实话。"他说，"我们正准备出门，他来到我家门口。我叫人转告他我们不在家，可他非要冲上楼梯。他气得发狂，如果我不告诉他那车是谁的，他准会把我给杀了。在我家里，他的手时时刻刻都握着口袋里的枪——"他突然停住，语气强硬起来，"就算我告诉他又怎么样？那家伙是自己找死。他把你给迷惑了，就像迷惑了黛西一样，他其实是个恶棍。他碾过默特尔就像碾过一条狗，连车都不停一下。"

我不知道该说什么，除了那个难以言说的事实——真相并非如此。

"你不要以为我没有遭受痛苦——我跟你说，我退掉那所公寓，看见那盒该死的狗饼干还放在餐具柜上的时候，我坐下来像个孩子似的哭了。老天啊，真让人难受——"

我无法原谅他，也不可能喜欢他，但是我看到，他所做的事情在他自己看来是完全合理的。一切都是这样漫不经心、混乱不堪。这两个满不在乎的人，汤姆和黛西——他们搞砸了事情，毁了人，然后就退回到自己的钱堆中去，退回到麻木不仁或者任何能将他们维系在一起的东西中去，让别人去收拾他们的烂摊子……

我跟他握了握手。不握手似乎有点愚蠢，因为我突然感觉自己像在跟一个孩子说话。然后他走进珠宝店去买一条珍珠项链——或许只是一副袖扣——永远地摆脱了我这乡下人的吹毛求疵。

我离开的时候，盖茨比的房子还是空的——他草坪上的草长得跟我家的一样高了。村上有一个出租司机每次经过他门口的时候都会停一会儿，朝里面指指点点。或许出事的那天夜里，是他开车送黛西和盖茨比去东卵村的，又或许完全是他自己编造了一个故事。我不想听他讲，所以我下火车时总会躲开他。

每个星期六的夜晚我都在纽约度过，因为盖茨比家那些灯火闪耀、光彩炫目的宴会依然在我脑海里栩栩如生，我听到音乐和笑声不断地从他的花园里传来，还有一辆辆汽车在他的车道上开来又开走。有一天晚上，我确实听见来了一辆车，车灯照在他们前的台阶上。但我没有去看个究竟。大概是最后一位客人从天涯海角赶来，不知道宴会早已收场。

最后那个晚上，我已经收拾好箱子，车也卖给了杂货店老板，我走过去再看一眼那庞大而杂乱、意味着失败的房子。白色大理石台阶上，有哪个男孩用砖块涂了一个脏字，在月光下分外触目，我去把它擦掉，鞋底在石头上磨得沙沙作响。然后我溜达到海边，仰面躺在沙滩上。

此刻，那些海滨大别墅大多已经关闭，四周几乎没有灯光，只有海湾对面一艘渡船上时隐时现、若明若暗的一丝光亮。月亮渐渐升高，虚幻不实的别墅开始消隐退去，我慢慢意识到，这里就是当年让荷兰水手的眼睛绽放光芒的古老小岛——新世界里一片清新翠绿的土地。那些消失了的树木，那些为建造盖茨比的豪宅而被砍伐的树木，曾经在此轻声应和着人类最后也最伟大的梦想。在沉醉的一瞬间，人类面对这片新大陆一定会屏息凝神，不由自主地沉浸到无法理解也不企求理解的美学思索中，也是人类在历史上最后一次面对与其感受奇迹的能力相称的奇异景象。

当我坐在沙滩上遥想那个古老而未知的世界时，我也可以体会到盖茨比第一次认出黛西家码头尽处那盏绿灯时有多么惊奇。他走过漫漫长路才来到这片碧绿的草坪上，他的梦想似乎近在眼前，触手可及。他无从知晓，这梦想早已离他而去，被遗弃在城市之外一片漫无边际的混沌中，遗弃在寂寂长夜里一望无垠的合众国的黑色原野上。

盖茨比一生的信念就寄托在这盏绿灯上，这个一年一年在我们眼前渐渐远去的极乐未来。它曾经从我们身边溜走，不过没有关系——明天我们会跑得更快，手臂伸得更远……总有一个美好的清晨——

我们奋力前行，小舟逆水而上，不断地被浪潮推回到过去。

图书在版编目(CIP)数据

了不起的盖茨比/〔美〕菲茨杰拉德著；邓若虚译.
－2版.－海口：南海出版公司，2013.9
ISBN 978－7－5442－5942－2

Ⅰ.①了… Ⅱ.①菲…②邓… Ⅲ.①长篇小说－美
国－现代 Ⅳ.①I712.45

中国版本图书馆CIP数据核字(2013)第188834号

了不起的盖茨比

〔美〕斯科特·菲茨杰拉德 著
邓若虚 译

出　　版　南海出版公司　（0898)66568511
　　　　　海口市海秀中路51号星华大厦五楼　邮编 570206
发　　行　新经典文化有限公司
　　　　　电话(010)68423599　邮箱 editor@readinglife.com
经　　销　新华书店

责任编辑　刘灿灿
装帧设计　韩　笑
内文制作　唐人佳悦

印　　刷　北京国彩印刷有限公司
开　　本　850毫米×1168毫米　1/32
印　　张　6.5
字　　数　150千
版　　次　2012年5月第1版　2013年9月第2版
印　　次　2013年10月第7次印刷
书　　号　ISBN 978－7－5442－5942－2
定　　价　32.00元